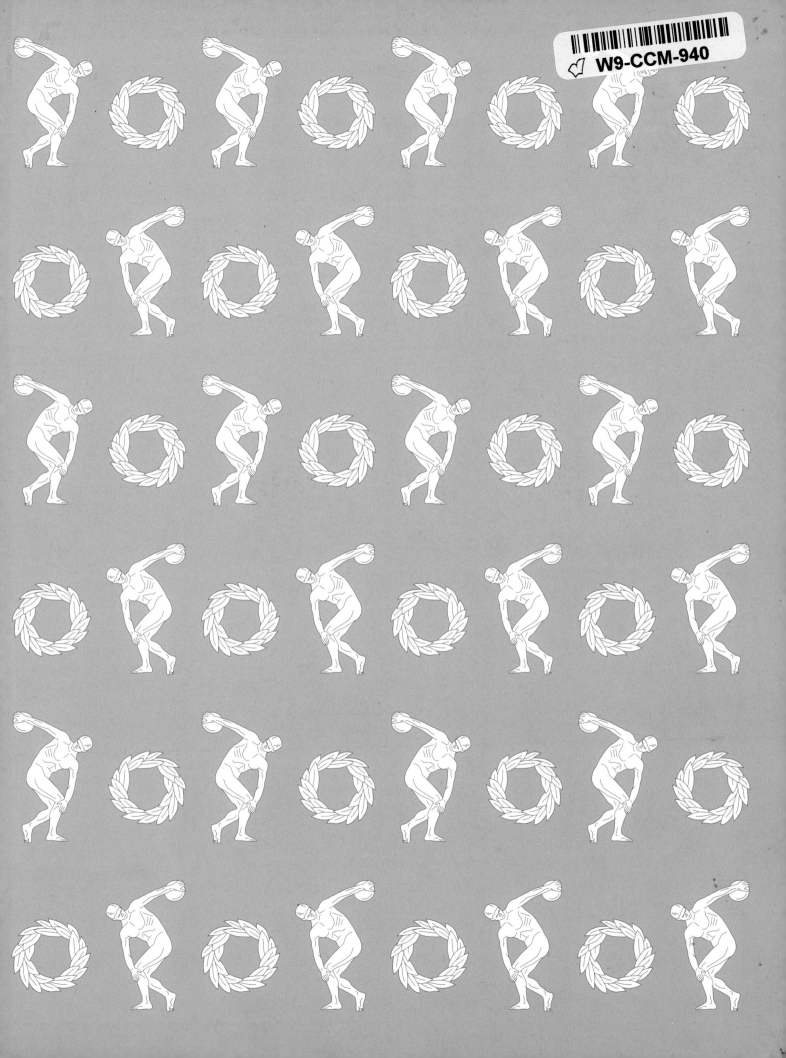

les jeux Olympiques

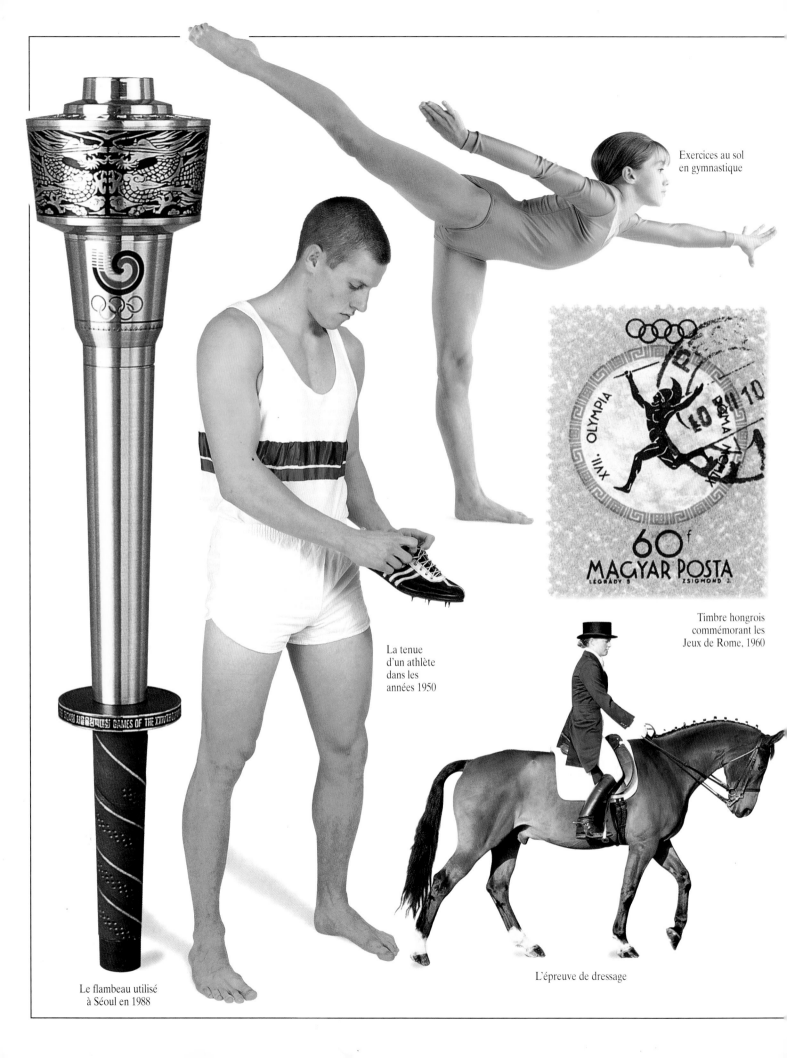

Exercices au sol
en gymnastique

Timbre hongrois
commémorant les
Jeux de Rome, 1960

La tenue
d'un athlète
dans les
années 1950

L'épreuve de dressage

Le flambeau utilisé
à Séoul en 1988

La course en
fauteuil roulant

Echauffement avant
l'entraînement

les jeux
Olympiques

par

Chris Oxlade

et

David Ballheimer

Photographies originales de Andy Crawford,
Bob Langrish et Steve Teague

Ecusson commémoratif
des Jeux de Paris, 1924

GALLIMARD

Médaille commémorative
des Jeux de Berlin, 1936

Starting-blocks

Chaussure pour
le lancer du javelot

Chaussure de course

Chaussure de sprint

L'arraché

Comité éditorial

Londres :
Sue Unstead, directrice éditoriale
Linda Martin, responsable éditoriale
et Julia Harris, responsable artistique

Paris :
Christine Baker, Maylis Leroy
et Eric Pierrat

Pour l'édition anglaise :
Edition : Louise Pritchard
Maquettiste : Jill Plank
Fabrication : Kate Oliver
Iconographe : Sean Hunter
PAO : Andrew O'Brien

Edition française
traduite et adaptée
par Béatrice Vierne
Edition : Maylis Leroy
et Eric Pierrat
Conseillère : Françoise Hache
Préparation : Eliane Rizo
Correction : Claire Passignat
et Lorène Bücher
Index : Claire Passignat
Montage PAO : Myriam Mendret
Flashage : Arc-en-ciel - Paris XIIᵉ
Maquette de couverture : Alain Barreau
Photogravure de couverture : Mirascan

ISBN 2-07-052753-0
La conception de cette collection est le fruit
d'une collaboration entre les Editions Gallimard
et Dorling Kindersley.
© Dorling Kindersley Limited, Londres 1999
© Editions Gallimard, Paris 1999, pour l'édition française
Loi n° 49-956 du 16 juillet 1949
sur les publications destinées à la jeunesse
1ᵉʳ dépôt légal : octobre 1999
Dépôt légal : juin 2000
N° d'édition : 95505
Imprimé en Chine par Toppan Printing Co., (Shenzen) Ltd

Lunettes de nageur

Séance de musculation
avec des poids

SOMMAIRE

LES ORIGINES DE L'OLYMPISME

Les jeux Olympiques sont nés dans la Grèce antique, où ils étaient associés à des cérémonies religieuses. Selon Homère, des concours sportifs existaient déjà au IIe millénaire av. J.-C. La religion était au centre de la vie quotidienne et le sport était pour les Grecs un moyen d'honorer leurs dieux. À côté de nombreuses fêtes locales, il existait quatre grandes manifestations nationales, appelées Panhelléniques, ouvertes aux concurrents de la Grèce entière et de ses colonies : les jeux Pythiques, Néméens, Isthmiques et Olympiques. Ils étaient célébrés à tour de rôle chaque année.

LE STADE DE DELPHES

Delphes était le sanctuaire d'Apollon ; c'est là que les Grecs situaient le centre du monde. Au ve siècle av. J.-C., ils construisirent ce stade de 7 000 places à flanc de colline, au-dessus du grand temple d'Apollon. On peut encore voir dans les ruines qui subsistent les tribunes réservées aux spectateurs et les sièges des juges.

EN L'HONNEUR D'APOLLON

Les Jeux étaient célébrés en l'honneur de différents dieux dans des sanctuaires religieux ou à proximité. Les jeux Pythiques avaient lieu à Delphes en l'honneur d'Apollon, les jeux Isthmiques à Corinthe en l'honneur de Poséidon, les jeux Néméens à Némée et, enfin, les jeux Olympiques à Olympie en l'honneur de Zeus.

Sculpture ancienne représentant Apollon

Sur ce vase grec ancien figure une course d'athlètes en armes.

Des couronnes de laurier étaient décernées aux lauréats des jeux Pythiques.

Bouclier sur lequel figurent les emblèmes personnels du coureur.

Aux jeux Néméens, un bouquet de céleri sauvage était décerné aux vainqueurs.

Aux jeux Olympiques la récompense était une couronne d'olivier.

Amphore panathénienne

LE TROPHÉE DU COUREUR

Aux jeux Panathéniens, chaque vainqueur recevait une amphore, grand récipient muni de deux poignées, remplie de la meilleure huile d'olive. Cette amphore était décorée de scènes représentant la discipline dans laquelle l'athlète avait concouru. On voit ici une course en armes. L'athlétisme et la guerre étaient étroitement liés. Les compétitions sportives contribuaient à maintenir les hommes en bonne forme physique pour d'éventuelles batailles.

Les hoplites faisaient la course sur deux ou trois stades avec armes et armures.

LES FEUILLES DE LA VICTOIRE

Lors des jeux Panhelléniques, on offrait aux athlètes victorieux des récompenses symboliques. La plus précieuse était la couronne d'olivier des jeux Olympiques, faite d'un rameau taillé sur l'arbre sacré qui se dressait derrière le temple de Zeus à Olympie. Les héros étaient ensuite largement rétribués par leur cité. Dès 580 av. J.-C., à Athènes, une loi prévoyait la remise de cinq cents drachmes à chaque champion olympique (un mouton valait alors un drachme !).

Aux jeux Pythiques, les vainqueurs recevaient des couronnes de pin.

LANCEUR DE JAVELOT

Le javelot était une arme puissante, mais ceux que l'on utilisait pour le sport étaient plus légers que les engins de guerre. Les athlètes de la Grèce antique tenaient leurs javelots par un lien en cuir noué ou entortillé autour du manche. Lorsque le javelot quittait leur main, ce lien se déroulait, imprimant une torsion à l'engin tandis qu'il fendait l'air.

Peinture ornant un vase grec

Ce javelot de compétition était en bois de sureau.

La plupart des disques utilisés aux Jeux antiques étaient en bronze et bien plus lourds que les disques modernes.

LES ATHLÈTES ET LES DISCIPLINES

La course de stade ou stadion est l'épreuve la plus ancienne. Elle se déroulait sur une distance de 192,25 m. Au cours du pentathlon, instauré vers 708, l'athlète subissait cinq épreuves : la course, le saut en longueur, la lutte, le lancer de disque et le lancer du javelot. Parmi les autres disciplines citons le pugilat, ancêtre de la boxe, la course de chars et la course de chevaux montés.

Les artistes grecs veillaient à représenter les muscles et la force d'un athlète.

Copie romaine d'une statue appelée le Discobole, sans doute réalisée vers 450 av. J.-C. par le sculpteur Myron

Les cheveux longs étaient maintenus par un bandeau.

L'épaule droite restait nue.

Cette statuette date d'environ 500 av. J.-C.

Les athlètes concouraient souvent nus. Lors d'une course de stade, en 720 av. J.-C., Orsippos de Mégare perdit son perizona, sorte de pagne, mais remporta l'épreuve. Dès lors, les organisateurs auraient décidé d'imposer la nudité aux compétiteurs.

Cet athlète, bien en équilibre, est prêt à lancer son disque.

La tunique de la jeune athlète s'arrête juste au-dessus du genou.

Statuette en bronze représentant une coureuse spartiate

LES FEMMES AUX JEUX

A l'exception de la prêtresse de Déméter, les femmes n'étaient pas autorisées à participer, ni même à regarder les Jeux sous peine de mort. Une fête spéciale leur était réservée à Olympie, les jeux Héréens, organisés tous les quatre ans en l'honneur de Héra, l'épouse de Zeus. L'unique compétition était une course de sprint. Il en allait autrement à Sparte, cité-État du sud de la Grèce, où les jeunes filles étaient encouragées à faire du sport afin de devenir fortes et de mettre au monde de vaillants soldats spartiates.

LES JEUX ANTIQUES

La première mention des jeux Olympiques remonte à 776 av. J.-C., bien qu'ils soient sans doute nés plusieurs centaines d'années auparavant. Ils ne sont tout d'abord qu'une modeste manifestation, mais ils acquièrent peu à peu une grande popularité qui en fait la plus importante fête de la Grèce antique. Pendant au moins mille ans, ils se tiennent tous les quatre ans et survivent aux guerres, ainsi qu'à l'invasion romaine survenue en 146 avant notre ère. Le calendrier grec était d'ailleurs divisé en olympiades, périodes de quatre ans séparant deux célébrations.

LA VICTOIRE
La silhouette ailée sur ce moulage d'un sceau en pierre représente Nikê, ou la Victoire, posant une couronne d'olivier sur la tête d'un athlète. Aux jeux Olympiques de l'Antiquité, seule la victoire comptait. On oubliait vite le nom des vaincus.

MUSIQUE ET DANSE
A Olympie, les cérémonies religieuses et les événements sportifs faisaient partie d'une grande fête. Des dizaines de milliers de spectateurs affluaient pour suivre les Jeux et visiter les temples. Ils pouvaient aussi admirer de nombreux chanteurs, danseurs, jongleurs, orateurs et poètes. Autour du site sacré, s'installaient marchands ambulants, marchands de fleurs et bookmakers.

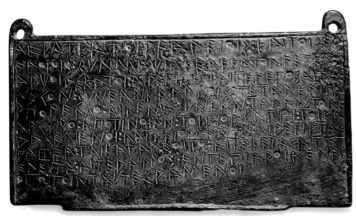

LA TRÊVE OLYMPIQUE
La Grèce antique n'était pas un Etat, mais un rassemblement de cités-Etats indépendantes bien souvent en guerre les unes contre les autres. Pendant les jeux Olympiques, un accord appelé « trêve sacrée » suspendait les hostilités pour un mois entier. Cette trêve était entérinée par des traités de paix, comme celui figurant sur la tablette ci-dessus entre l'Etat d'Elis, où se trouvait Olympie, et un Etat voisin.

EN L'HONNEUR DE ZEUS
Les jeux Olympiques étaient célébrés en l'honneur de Zeus. Le troisième jour des Jeux, un cortège de concurrents, de juges et d'invités illustres se rendait jusqu'à l'autel du dieu où l'on sacrifiait cent bœufs. L'édifice le plus important d'Olympie était le temple de Zeus, à l'intérieur duquel se trouvait une statue de 13 m de haut, en or et en ivoire. Cette statue chryséléphantine était l'une des sept merveilles du monde. A la fin du IVe siècle de notre ère, elle fut emportée dans un palais d'Istanbul où elle fut détruite par un incendie.

Zeus est le plus souvent représenté sous les traits d'un homme d'âge mûr, puissant et barbu.

Zeus avait, disait-on, lancé sa foudre et choisi l'endroit où elle s'était abattue, à Olympie, pour en faire son sanctuaire.

Statuette romaine de Zeus, datant du IIe siècle av. J.-C.

Le gymnase où s'entraînaient coureurs, lanceurs et sauteurs

La palestre, réservée au saut et à l'entraînement des pugilistes

Le temple de Héra, qui fut le premier bâti sur le site

Les trésors où l'on entreposait les objets de valeur

Le stade – 192 m de long sur 32 m de large

Piscine

Léonidaion, où logeaient les hôtes de marque

Olivier sacré

Temple de Zeus

Grand autel de Zeus

Ligne de départ de l'hippodrome

OLYMPIE

Ce sanctuaire religieux isolé se trouvait à une cinquantaine de kilomètres de la ville d'Elis. Il n'y avait pas de ville à Olympie. Quand on commença à y organiser les jeux Olympiques, au VIIIᵉ siècle av. J.-C., le site était un sanctuaire, sans aucun édifice. Au cours du millénaire suivant, on y éleva de nombreuses constructions : temples, autels, colonnades et arènes sportives. Cette maquette d'Olympie permet de voir le site tel qu'il devait être vers l'an 100 av. J.-C.

Site probable de l'hippodrome où se déroulaient les courses de chevaux et de chars

Héraclès portant le monde sur ses épaules à la place d'Atlas

La déesse Athéna prêtant main-forte à Héraclès

Fragment de frise appartenant au temple de Zeus à Olympie

HÉRACLÈS
Si l'on en croit la légende, Olympie fut créée par le plus célèbre des héros grecs, Héraclès, fils de Zeus. Il s'illustra en venant à bout des douze travaux qui lui avaient été imposés. Ce fut lui qui organisa les premiers jeux Olympiques en l'honneur de Zeus, pour célébrer l'accomplissement d'un de ces travaux – le nettoyage des écuries d'Augias, roi d'Elis.

LA PALESTRE D'OLYMPIE
Ces colonnes sont tout ce qui reste de la palestre d'Olympie, où les athlètes s'entraînaient au saut et aux sports de combat. C'était un bâtiment bas entourant une cour centrale et comportant des vestiaires, des bains et des toilettes. Chaque cité grecque possédait sa palestre.

Les pugilistes s'enveloppaient les mains de peaux de mouton maintenues par des liens de cuir.

Les pugilats pouvaient durer plusieurs heures.

ÉPREUVES OLYMPIQUES
Les Jeux de l'Antiquité ne comportaient aucune épreuve par équipes. Au début, l'unique épreuve était une brève course à pied se déroulant sur une distance d'environ 200 m. Peu à peu le pugilat et d'autres sports firent leur apparition. Selon la légende, lors du premier pugilat organisé à Olympie, Apollon triompha d'Arès, le dieu de la Guerre.

Scène de pugilat représentée sur une amphore récompensant le vainqueur, vers l'an 336 av. J.-C.

À LA DÉCOUVERTE D'OLYMPIE

Après l'an 261 de notre ère, il n'est plus question des vainqueurs des jeux Olympiques. On ne sait donc pas quand ces jeux prirent fin. Leur déclin s'amorça dès que Rome eut annexé la Grèce à son empire. En l'an 393, l'empereur chrétien Théodose Ier décréta la fermeture de tous les centres païens et le site d'Olympie fut peu à peu abandonné. Une succession d'envahisseurs le détruisit et les édifices qui restaient encore debout furent ravagés par des séismes et des incendies. Finalement, les crues des fleuves voisins ensevelirent les ruines sous plusieurs mètres de boue et il fallut attendre mille ans pour voir réapparaître les vestiges d'Olympie.

LA FIN DES JEUX
Un portrait de l'empereur romain Théodose II figure sur cette pièce d'or ancienne. En 426, il fit incendier le temple de Zeus et les autres édifices d'Olympie, ce qui entraîna peut-être la fin des jeux Olympiques.

ERNST CURTIUS
C'est au XVIIIe siècle que les archéologues commencèrent à chercher le site d'Olympie, mais les fouilles les plus importantes se déroulèrent entre 1875 et 1891, sous l'égide de l'Institut archéologique d'Allemagne. Une équipe, ayant à sa tête le professeur Ernst Curtius, mit au jour les vestiges de presque tous les édifices. On retrouva 130 statues et plus de 6 000 objets en terre cuite, or et bronze.

Ernst Curtius, vers 1880

Peut-être le visage de la déesse Nikê fut-il détruit par les chrétiens sous le règne de Théodose II.

Vestiges d'ailes

A l'origine, les vêtements de Nikê étaient peints en rouge.

EXCAVATIONS MODERNES
Dès la fin du XIXe siècle, on avait exploré la majeure partie du site d'Olympie, mais les fouilles se sont poursuivies, sur une échelle réduite, jusqu'à nos jours. Ainsi, entre 1958 et 1961, une équipe allemande a achevé de mettre au jour les ruines du stade, reconstituant les tribunes réservées aux spectateurs.

LES RUINES DU GYMNASE
Les archéologues allemands ne découvrirent à Olympie aucun édifice encore debout, mais ils parvinrent à en reconstituer plusieurs. Cette illustration montre une partie du gigantesque gymnase où les athlètes pouvaient s'entraîner en salle. Il était assez vaste pour contenir une piste de course aussi longue que celle du grand stade.

STATUE DE NIKÊ
De façon inespérée, cette statue de Nikê, déesse de la Victoire, descendant des cieux, a survécu presque intacte. Réalisée en 425 av. J.-C. par Paeonios de Mendê, elle mesure 3 m de haut. Elle se dressait, devant le temple de Zeus, en haut d'une colonne haute de 9 m.

La plupart des statues d'Olympie furent offertes par des athlètes vainqueurs et dédiées à Zeus.

LA DÉESSE DE BRONZE
Les archéologues ont découvert des centaines de statuettes et de figurines, la plupart en bronze, comme celle-ci, ou en terre cuite. Elles représentent des dieux, des héros, des guerriers, des coureurs, des animaux et des chariots avec leur conducteur. Elles étaient offertes aux dieux par les concurrents et les spectateurs.

Le long nasal et les protège-joues étaient typiques du casque corinthien.

LES DÉPOUILLES GUERRIÈRES
Les guerriers de la Grèce antique offraient aux dieux les armes et les armures prises au combat. On a trouvé à Olympie des boucliers, des cuirasses, des casques, des pointes de flèches, des lances et d'autres armes. Sur ce casque de bronze figure une inscription précisant qu'il est offert à Zeus et qu'il a été pris aux Corinthiens.

Zeus enlève Ganymède.

Ce pugiliste a le visage couturé.

Cette tête en bronze mesure 28 cm de haut.

COUPURES ET ECCHYMOSES
Cette tête en bronze, découverte à Olympie en 1880, représente un pugiliste appelé Satyros. Le pugilat, ancêtre de la boxe, était un sport encore plus violent. Le combat n'était pas divisé en reprises, pour permettre aux deux adversaires de souffler, et il n'était pas non plus limité dans le temps. Le sculpteur, par souci de réalisme, a donné à son modèle un visage couturé.

Statue en bronze d'une déesse, datant de 520 av. J.-C.

LE RAPT DE GANYMÈDE
Certains objets retrouvés à Olympie sont encore en excellent état. Cette statue en terre cuite de Zeus et de Ganymède a été découverte dans les environs du stade. Elle date de 470 av. J.-C. et pourrait être l'œuvre d'un célèbre sculpteur, Phidias, qui fabriqua de nombreuses statues dans son atelier d'Olympie, proche du gymnase. Selon la légende, Zeus, séduit par la beauté du jeune Ganymède, l'enleva pour en faire son échanson.

LES JEUX RESSUSCITÉS

Plus de quinze cents ans après la fin des Jeux antiques, un Français, le baron Pierre de Coubertin, eut l'idée et la volonté de leur redonner vie. Lors d'un congrès international d'éducation physique organisé à Paris en 1894, il soumit une résolution visant à rétablir les jeux Olympiques. Elle fut accueillie avec enthousiasme et déboucha sur la fondation du Comité international olympique (CIO) dont Coubertin devint un des membres. Deux ans plus tard seulement, à Athènes, en avril 1896, le roi de Grèce, Georges Ier, déclarait ouverts les premiers jeux Olympiques de l'ère moderne. Au cours des cent années suivantes, l'événement prit les proportions fabuleuses qu'on lui connaît aujourd'hui.

Médaillon de Zeus

LE CŒUR DU BARON
Les Grecs élevèrent à Olympie un monument à Pierre de Coubertin, afin de commémorer le rôle qu'il avait joué dans la renaissance des Jeux. Le baron souhaitait que son cœur restât à tout jamais à Olympie et il a été enseveli sous le monument.

L'inscription rend hommage aux efforts de Coubertin pour faire revivre les jeux Olympiques.

Pierre de Coubertin

LE PÈRE FONDATEUR
Sans le baron de Coubertin, peut-être les jeux Olympiques n'existeraient-ils pas. Il pensait que le sport était indispensable au développement physique, mais aussi mental de la jeunesse, et que les compétitions internationales aideraient les différents peuples à nouer des liens d'amitié. Sans être lui-même un sportif d'exception, il pratiquait de nombreuses disciplines.

MÉDAILLE COMMÉMORATIVE
Cette médaille fut frappée en l'honneur du « rénovateur des jeux Olympiques ». Coubertin était fasciné par la Grèce antique. Son rêve de Jeux modernes reçut un sérieux coup de pouce lorsque les archéologues découvrirent les ruines d'Olympie en 1875.

PIERRE DE COUBERTIN
Pierre de Coubertin naquit à Paris, le 1er janvier 1863. Il fut président du Comité international olympique de 1896 à 1925 et reçut le prix Nobel de la paix en 1920. Il mourut à Genève en 1937.

LA NAISSANCE DES ANNEAUX
Au cours d'une visite à Delphes, site des anciens jeux Pythiques, Coubertin vit sur cet autel un emblème représentant cinq anneaux enlacés et il s'en inspira pour le drapeau olympique. Les cinq anneaux devaient symboliser les cinq continents qui participeraient aux Jeux : l'Afrique, l'Asie, l'Amérique, l'Europe et l'Océanie.

Devant le monument, une couronne d'olivier honore la mémoire de Coubertin.

Sur cet ancien autel grec à Delphes figurait un symbole représentant cinq anneaux concentriques sur un disque sacré, dans lesquels étaient inscrits les termes de la trêve conclue pour les jeux Pythiques.

LE PREMIER STADE

L'ancien stade en marbre blanc, situé au pied de l'Acropole, fut reconstruit pour les Jeux de 1896 grâce à la générosité d'un banquier grec. Cette arène était longue et étroite, si bien que les coureurs de demi-fond et de fond étaient obligés de ralentir pour négocier les virages aux deux extrémités de la piste.

UN BILLET DOUX

Deux drachmes : voilà le prix d'un billet d'entrée aux jeux Olympiques de 1896. Plus de 60 000 spectateurs assistent à la première journée. Les concurrents ne sont pas les meilleurs athlètes du monde, puisque n'importe qui a le droit de participer. La plupart sont grecs ; quelques touristes se sont aussi inscrits à la dernière minute.

AFFICHES ET TIMBRES-POSTE

Cette affiche (à gauche) conçue pour les Jeux de 1896 est d'inspiration classique : elle montre les ruines de l'Acropole. La famille royale de Grèce apporta un soutien financier. Des timbres commémoratifs et une loterie contribuèrent aussi à financer l'événement.

LE PREMIER MARATHON

En 1896, l'une des épreuves de course à pied reliait les plaines de Marathon, au nord d'Athènes, au nouveau stade. Elle commémorait l'exploit de Philippidès, guerrier légendaire, qui, après la bataille de Marathon, en 490 av. J.-C., était allé en courant jusqu'à Athènes annoncer la victoire des Athéniens sur les Perses, avant de tomber mort d'épuisement. Par un heureux hasard, le marathon de 1896 fut remporté par un berger grec, Spiridon Louys, que l'on voit ici en costume national.

Médaille de vainqueur en 1896

L'inscription est en grec.

Vue de l'Acropole, à Athènes

En 1896, la médaille de vainqueur n'était pas en or, mais en argent.

LES PREMIÈRES MÉDAILLES

Coubertin pensait qu'une distribution de médailles encouragerait les athlètes à prendre part aux jeux Olympiques. A Athènes, en 1896, les vainqueurs reçurent une médaille d'argent, un rameau d'olivier et un certificat ; les vice-champions, une médaille de cuivre et une branche de laurier.

LES TRADITIONS

LES TRADITIONS ANCIENNES

L'intérieur d'une coupe nous montre un pugiliste en prière. Lors des Jeux antiques, plusieurs journées étaient consacrées aux cérémonies religieuses.

« Au nom de tous les concurrents, je promets que nous prendrons part à ces jeux Olympiques en respectant et suivant les règles qui les régissent dans un esprit de sportivité pour la gloire du sport et l'honneur de nos équipes. » Tel est le serment olympique que prête un athlète à la cérémonie d'ouverture de tous les jeux Olympiques. Il nous rappelle les traditions : une concurrence loyale et amicale, l'important est de participer. Toutes les cérémonies et tous les symboles olympiques reflètent le but du mouvement olympique, qui est de promouvoir la compréhension entre les nations du monde.

LE RELAIS DE LA FLAMME

La flamme olympique, symbole d'unité internationale, est transportée depuis le berceau des Jeux à Olympie jusqu'au site choisi, en franchissant les frontières nationales. Chaque fois que la chose est possible, elle est acheminée par des coureurs qui se relaient, chacun couvrant un kilomètre et allumant son flambeau à celui de son prédécesseur. Quand le dernier porteur débouche dans le stade, il fait un tour de piste avant d'aller allumer la flamme olympique qui brûlera tout au long des Jeux.

Un dessin ajouré original

Pour l'acheminement de la flamme olympique en 1948, on utilisa 1 688 flambeaux. Voici celui que portait le dernier coureur à la cérémonie d'ouverture.

Le flambeau de 1936 s'inspirait des flambeaux antiques.

ALLUMER LA FLAMME

La flamme olympique est allumée à l'autel de la déesse Héra, à Olympie, à l'endroit même où brûlait une flamme lors des Jeux antiques. On allume le premier flambeau à l'aide d'un miroir concave qui concentre la lumière du soleil. Avant de commencer son voyage vers le stade olympique, le flambeau sert d'abord à allumer une flamme en l'honneur de Pierre de Coubertin, près du monument commémoratif.

1936 – Berlin, Allemagne. Pour la première fois, la flamme fut allumée à Olympie et acheminée par des relais de coureurs. Passant par Athènes, la flamme parcourut ainsi 3 075 km.

1948 – Londres, Royaume-Uni. Le premier relayeur fit un détour pour passer devant la tombe de Coubertin.

Manche cannelé

Les anneaux olympiques et la couronne d'olivier

En 1952, il n'y avait que 32 flambeaux ; alors, pour la première fois, les coureurs se les passèrent au lieu d'avoir chacun le leur.

1952 – Helsinki, Finlande. Pour la plus grande joie du public, ce furent les célèbres coureurs finlandais Paavo Nurmi et Hannes Kolemainen qui portèrent la flamme à l'intérieur du stade olympique.

1928 IX OLYMPIADE AMSTERDAM

Affiche annonçant les jeux Olympiques de 1928

La cérémonie d'ouverture à Nagano, Japon, en 1998

LA CÉRÉMONIE D'OUVERTURE

Aujourd'hui, une cérémonie à grand spectacle marque l'ouverture des jeux Olympiques. A l'issue du spectacle, les concurrents pénètrent dans le stade. La délégation grecque défile toujours en premier et celle de la nation organisatrice en dernier. Un athlète et un juge prêtent le serment olympique au nom de tous les autres. Lors de la cérémonie de clôture, le président du CIO convie la jeunesse du monde entier à se rassembler de nouveau quatre ans plus tard.

LA PREMIÈRE FLAMME

La flamme olympique fut allumée pour la première fois aux Jeux d'Amsterdam en 1928. Elle brûla pendant toute la durée des Jeux en haut d'une tour de 50 m dressée à l'intérieur du stade.

Le haut du flambeau est plaqué or.

1952 – Oslo, Norvège. Le relais de coureurs apportant la flamme aux Jeux d'hiver prit le départ à Morgedal, une ville historique de Norvège.

1960 – Squaw Valley, Etats-Unis. C'est avec ce flambeau que le patineur de vitesse Kenneth Henry, champion olympique en 1952, alluma la flamme olympique.

1968 – Mexico, Mexique. Enriqueta Basilio fut la première femme à allumer la flamme.

1980 – Moscou, URSS. Les derniers porteurs de la flamme furent Sergueï Belov et Victor Soneïev.

Manche plaqué argent

Manche en cuir orné d'un anneau métallique

1992 – Albertville, France. La flamme fut allumée par Michel Platini, le célèbre footballeur français, et par un enfant de la région.

Une colombe figurait sur l'affiche des Jeux de Moscou, en 1980.

LES COLOMBES DE LA PAIX

Au cours de la cérémonie d'ouverture, des centaines de colombes, symboles de paix, sont lâchées dans le stade. La première fois ce fut lors des tout premiers jeux Olympiques de l'ère moderne, en 1896.

1984 – Los Angeles, Etats-Unis. La petite-fille de Jesse Owens assura le dernier relais de la flamme, après avoir assuré le premier avec le petit-fils du grand champion olympique, Jim Thorpe.

LE DRAPEAU OLYMPIQUE

Le drapeau olympique flotte au-dessus des stades depuis 1920. Il comporte au moins une couleur figurant sur les drapeaux de tous les pays du monde. Lors de la cérémonie de clôture, il est remis à un représentant de la nation qui accueillera les prochains Jeux.

LES JEUX MODERNES

Les Jeux ont lieu tous les quatre ans, durée d'une olympiade. Ceux d'Athènes en 1896 furent les premiers ; ceux de Sydney, en l'an 2000, ne seront que les vingt-quatrièmes à cause des guerres qui empêchèrent le déroulement des Jeux de 1916, 1940 et 1944. Les premiers Jeux d'hiver se déroulent en 1924. Les Jeux de 1900 et de 1904 suscitèrent si peu d'intérêt que la Grèce, dans l'espoir de récupérer « ses » Jeux, organisa seule les Jeux d'Athènes pour commémorer le dixième anniversaire des premiers J.O. modernes.

MÉDAILLE DE BRONZE
Sur cette médaille, frappée pour commémorer les premiers jeux Olympiques modernes à Athènes, on peut voir la déesse Athéna tenant une couronne d'olivier.

SOUVENIR OLYMPIQUE
On a fabriqué toutes sortes de souvenirs pour les différents Jeux. Celui-ci est une broche commémorant les Jeux de 1900 à Paris.

LONDRES, 1908
Les Anglais eurent moins de deux ans pour préparer les Jeux de 1908, ce qui n'empêcha pas ceux-ci d'être parmi les plus réussis organisés jusque-là.

Couverture du programme des Jeux de 1908

1896	1900	1904	1908	1912	1920
ATHÈNES, GRÈCE Les 300 concurrents des premiers Jeux de l'ère moderne sont tous des hommes. Les étudiants américains font une razzia dans les épreuves d'athlétisme, alors qu'ils ne sont arrivés que la veille. Parmi eux le premier champion olympique, James Connolly, vainqueur du triple saut. Les épreuves de cricket et de football sont annulées, faute de participants.	**PARIS, FRANCE** Annexe de l'Exposition universelle, les Jeux s'étalent sur cinq mois et n'éveillent jamais l'intérêt du public. Les installations sont plus que médiocres et les épreuves de natation ont lieu dans la Seine. Le sauteur américain Ray Ewry remporte les trois premières de ses dix médailles d'or. Douze femmes s'affrontèrent en golf et en tennis, contre l'avis de Coubertin.	**SAINT LOUIS, ÉTATS-UNIS** Les Jeux s'intègrent à l'Exposition universelle. Ni Coubertin ni les sportifs européens ne font le déplacement. Les *anthropological Days*, qui voient s'affronter des « primitifs » (pygmées, Sioux, etc.) dans des disciplines dont ils ignorent les règles…, connaissent un vif succès. On enregistre les premiers cas de tricherie et de dopage au marathon.	**LONDRES, ROYAUME-UNI** Les Jeux devaient avoir lieu à Rome, mais le gouvernement italien puise dans les fonds alloués pour aider les victimes de l'éruption du Vésuve de 1906. L'image qui reste est celle de Pietri Dorando, le marathonien que l'on aide à franchir en tête la ligne d'arrivée. Il est disqualifié, mais la reine Alexandra lui remet par la suite une coupe en or spéciale.	**STOCKHOLM, SUÈDE** L'organisation des Jeux de 1912 est un modèle d'efficacité. Parmi les nouvelles épreuves figurent le décathlon et le pentathlon modernes, imaginés par le baron Pierre de Coubertin. Le vainqueur de ces deux épreuves, l'Américain Jim Thorpe (1888-1953), sera disqualifié pour professionnalisme puis réhabilité en 1983, trente ans près sa mort !	**ANVERS, BELGIQUE** Aux premiers jeux Olympiques de l'après-guerre, on voit flotter pour la première fois le drapeau olympique et l'on entend pour la première fois aussi le serment olympique. L'Allemagne, la Bulgarie, la Hongrie et la Turquie ne sont pas invitées en raison de leur rôle dans le conflit mondial. Suzanne Lenglen gagne la première médaille d'or féminine française en tennis.

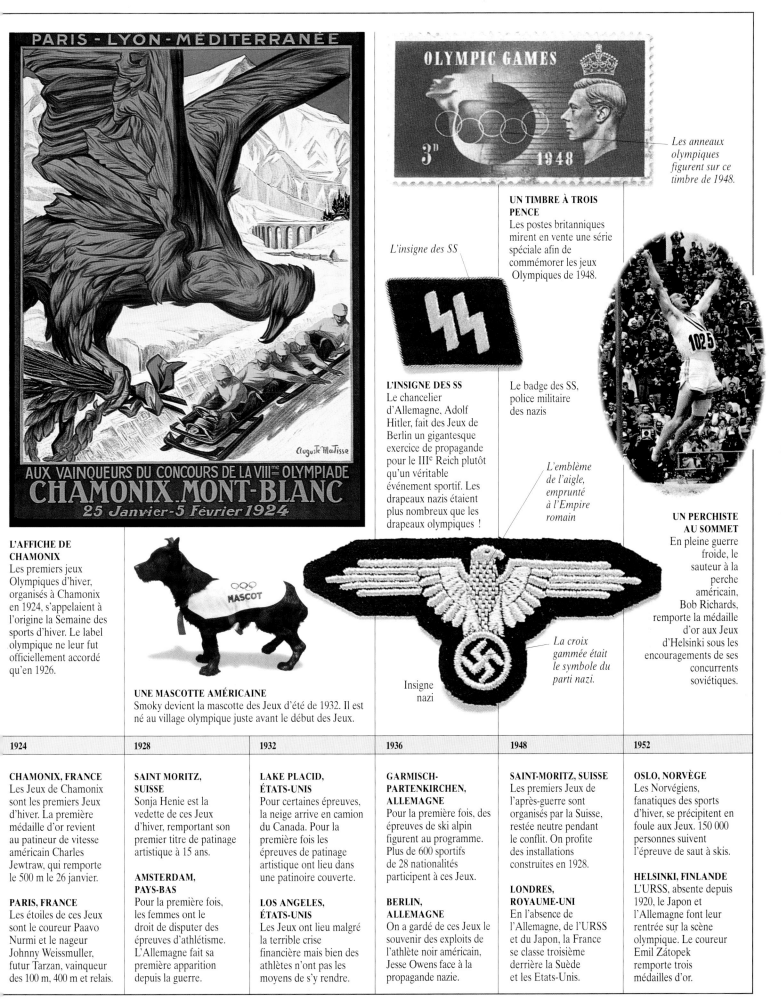

PARIS - LYON - MÉDITERRANÉE

AUX VAINQUEURS DU CONCOURS DE LA VIIIᵐᵉ OLYMPIADE
CHAMONIX · MONT-BLANC
25 Janvier-5 Février 1924

L'AFFICHE DE CHAMONIX
Les premiers jeux Olympiques d'hiver, organisés à Chamonix en 1924, s'appelaient à l'origine la Semaine des sports d'hiver. Le label olympique ne leur fut officiellement accordé qu'en 1926.

UNE MASCOTTE AMÉRICAINE
Smoky devient la mascotte des Jeux d'été de 1932. Il est né au village olympique juste avant le début des Jeux.

OLYMPIC GAMES 3ᴰ 1948

Les anneaux olympiques figurent sur ce timbre de 1948.

UN TIMBRE À TROIS PENCE
Les postes britanniques mirent en vente une série spéciale afin de commémorer les jeux Olympiques de 1948.

L'insigne des SS

L'INSIGNE DES SS
Le chancelier d'Allemagne, Adolf Hitler, fait des Jeux de Berlin un gigantesque exercice de propagande pour le IIIᵉ Reich plutôt qu'un véritable événement sportif. Les drapeaux nazis étaient plus nombreux que les drapeaux olympiques !

Le badge des SS, police militaire des nazis

L'emblème de l'aigle, emprunté à l'Empire romain

Insigne nazi

La croix gammée était le symbole du parti nazi.

UN PERCHISTE AU SOMMET
En pleine guerre froide, le sauteur à la perche américain, Bob Richards, remporte la médaille d'or aux Jeux d'Helsinki sous les encouragements de ses concurrents soviétiques.

1924	1928	1932	1936	1948	1952
CHAMONIX, FRANCE Les Jeux de Chamonix sont les premiers Jeux d'hiver. La première médaille d'or revient au patineur de vitesse américain Charles Jewtraw, qui remporte le 500 m le 26 janvier. **PARIS, FRANCE** Les étoiles de ces Jeux sont le coureur Paavo Nurmi et le nageur Johnny Weissmuller, futur Tarzan, vainqueur des 100 m, 400 m et relais.	**SAINT MORITZ, SUISSE** Sonja Henie est la vedette de ces Jeux d'hiver, remportant son premier titre de patinage artistique à 15 ans. **AMSTERDAM, PAYS-BAS** Pour la première fois, les femmes ont le droit de disputer des épreuves d'athlétisme. L'Allemagne fait sa première apparition depuis la guerre.	**LAKE PLACID, ÉTATS-UNIS** Pour certaines épreuves, la neige arrive en camion du Canada. Pour la première fois les épreuves de patinage artistique ont lieu dans une patinoire couverte. **LOS ANGELES, ÉTATS-UNIS** Les Jeux ont lieu malgré la terrible crise financière mais bien des athlètes n'ont pas les moyens de s'y rendre.	**GARMISCH-PARTENKIRCHEN, ALLEMAGNE** Pour la première fois, des épreuves de ski alpin figurent au programme. Plus de 600 sportifs de 28 nationalités participent à ces Jeux. **BERLIN, ALLEMAGNE** On a gardé de ces Jeux le souvenir des exploits de l'athlète noir américain, Jesse Owens face à la propagande nazie.	**SAINT-MORITZ, SUISSE** Les premiers Jeux de l'après-guerre sont organisés par la Suisse, restée neutre pendant le conflit. On profite des installations construites en 1928. **LONDRES, ROYAUME-UNI** En l'absence de l'Allemagne, de l'URSS et du Japon, la France se classe troisième derrière la Suède et les Etats-Unis.	**OSLO, NORVÈGE** Les Norvégiens, fanatiques des sports d'hiver, se précipitent en foule aux Jeux. 150 000 personnes suivent l'épreuve de saut à skis. **HELSINKI, FINLANDE** L'URSS, absente depuis 1920, le Japon et l'Allemagne font leur rentrée sur la scène olympique. Le coureur Emil Zátopek remporte trois médailles d'or.

1956-2004

La seconde moitié du XXe siècle vit d'importants changements aux jeux Olympiques. À partir de 1960, la télévision les transforma en événement planétaire. Elle attira des sponsors qui contribuent aujourd'hui à financer les Jeux en échange des retombées publicitaires. L'interdit qui frappait les sportifs professionnels a été levé, bien que les concurrents soient encore en majorité amateurs. Les Jeux d'hiver sont désormais décalés de deux ans par rapport aux Jeux d'été.

En 1968. Karl Schranz fut autorisé à recourir parce qu'un spectateur avait traversé la piste. Il obtint le meilleur temps, mais il fut ensuite disqualifié pour avoir manqué deux portes dans sa première course.

PAS DE PROFESSIONNELS AUX JEUX
Le skieur autrichien Karl Schranz fut exclu des épreuves à la veille des Jeux de Sapporo pour avoir accepté de l'argent des sponsors et entaché ainsi son statut d'amateur. Trente-neuf autres athlètes se trouvaient dans le même cas, mais Schranz fut le seul à être exclu !

BOYCOTTS
Après la tournée des rugbymen néo-zélandais en Afrique du Sud, pays de l'apartheid, 24 pays boycottèrent les Jeux de Montréal pour protester contre la présence de la délégation néo-zélandaise.

CORTINA 1956
Des sponsors aidèrent la petite station du nord de l'Italie à se doter d'infrastructures pour les Jeux d'hiver. Pour la première fois depuis 1908, il y avait des concurrents soviétiques.

Insigne des Jeux d'hiver de 1956

LE FOSBURY FLOP
En 1968, l'Américain Dick Fosbury remporta la médaille d'or du saut en hauteur en franchissant la barre sur le dos au lieu de s'enrouler autour d'elle, comme on le faisait jusque-là. La plupart des autres sauteurs adoptèrent cette technique, connue depuis sous le nom de Fosbury ou Fosbury Flop.

1956	1960	1964	1968	1972	1976
CORTINA D'AMPEZZO, ITALIE L'URSS domine l'épreuve de hockey sur glace. L'Autrichien Toni Sailer remporte les trois titres de ski alpin. **MELBOURNE, AUSTRALIE** Sept pays boycottent ces Jeux. Il y a des blessés lors de la finale de water-polo Hongrie-URSS. La même année la Hongrie a été envahie par l'URSS.	**SQUAW VALLEY, ÉTATS-UNIS** La station est construite pour les Jeux d'hiver avec une cérémonie d'ouverture de Walt Disney. **ROME, ITALIE** Les Jeux sont retransmis en direct à la télévision. Le boxeur Cassius Clay remporte une médaille d'or et l'Éthiopien Abebe Bikila gagne le marathon pieds nus. Les premiers jeux Paralympiques sont organisés.	**INNSBRUCK, AUTRICHE** Il faut apporter sur les pistes plusieurs milliers de tonnes de neige, car il n'en est pas tombée naturellement. **TOKYO, JAPON** Ce sont les premiers Jeux à se dérouler en Asie. La flamme est allumée par un étudiant né près de Hiroshima en 1945, le jour où les Américains ont lâché la première bombe atomique.	**GRENOBLE, FRANCE** Les sites olympiques sont répartis dans toute la région. Le Français Jean-Claude Killy est triple champion en ski alpin. **MEXICO, MEXIQUE** A cause de l'altitude, les coureurs de fond connaissent des problèmes respiratoires. Des militants du Black Power manifestent sur le podium olympique.	**SAPPORO, JAPON** La vente des droits de retransmission télévisée permet la construction d'installations grandioses. **MUNICH, ALLEMAGNE** Dix-sept personnes périssent lors d'un attentat terroriste contre l'équipe israélienne. Sur le plan sportif, le nageur américain Mark Spitz rafle sept médailles d'or et la jeune gymnaste soviétique Olga Korbut en remporte trois.	**INNSBRUCK, AUTRICHE** Trop coûteux, les Jeux d'hiver prévus à Denver, aux Etats-Unis, sont transférés en Autriche. La skieuse allemande Rosi Mittermaier remporte deux médailles d'or et une d'argent. **MONTRÉAL, CANADA** La sécurité est renforcée. Sur la piste, Lasse Viren conserve son double titre de champion olympique sur 5 000 et 10 000 m.

Ce «flambeau humain» faisait partie de la cérémonie d'ouverture des Jeux de Moscou.

Le chapeau de la mascotte évoque le drapeau américain.

L'OUVERTURE DES JEUX DE 1980
Plus de 100 000 spectateurs assistèrent à la cérémonie d'ouverture au stade Lénine à Moscou. Certaines équipes protestèrent contre le régime soviétique en défilant derrière le drapeau olympique plutôt que derrière leur propre drapeau.

L'aigle est un emblème des Etats-Unis.

SAM THE EAGLE
Aux Jeux de Los Angeles, en 1984, la mascotte était cet aigle, Sam the Eagle, vêtu aux couleurs du drapeau américain.

Sydney 2000
™©

LE SCANDALE
L'affaire éclata aux Jeux de Séoul : le sprinter canadien Ben Johnson, déclaré positif à l'issue d'un contrôle anti-dopage, dut rendre sa médaille d'or trois jours après avoir remporté le 100 m en battant le record du monde !

LE LOGO DE SYDNEY
En 1993, Sydney, la plus grande ville d'Australie, fut désignée pour l'organisation des Jeux de l'an 2000, ou Jeux du « Millenium ». Plus de 10 000 athlètes et d'un million de visiteurs sont attendus à cette occasion.

1980	1984	1988	1992/1994	1996/1998	2000 ET AU-DELÀ
LAKE PLACID, ÉTATS-UNIS La neige artificielle y fait ses débuts. Le patineur de vitesse américain Eric Heiden remporte cinq médailles d'or. **MOSCOU, URSS** Cinquante-huit nations boycottent ces Jeux afin de protester contre l'invasion soviétique de l'Afghanistan en 1979 et le non-respect des droits de l'homme dans l'Union soviétique.	**SARAJEVO, YOUGOSLAVIE** Les étoiles des Jeux sont le couple de patineurs anglais Torvill et Dean, vainqueurs de l'épreuve de danse sur glace. Premiers jeux Paralympiques d'hiver. **LOS ANGELES, ÉTATS-UNIS** Les Jeux, boycottés par les pays de l'Est retrouvent le stade de 1932. On se rappelle les victoires de l'Américain Carl Lewis.	**CALGARY, CANADA** Le champion finlandais du saut à skis, Matti Nykänen, obtient trois médailles d'or. **SÉOUL, CORÉE DU SUD** Il n'y a pas de boycott important, puisque les Jeux accueillent des athlètes venus de 159 pays. Sur la piste, Florence Griffith-Joyner rafle trois médailles au sprint. La nageuse est-allemande Kristin Otto décroche six médailles d'or.	**ALBERTVILLE, FRANCE** Le ski artistique fait son apparition. **BARCELONE, ESPAGNE** Les athlètes de l'ancienne URSS constituent une équipe unifiée, l'Afrique du Sud et l'Allemagne unifiée font leur retour. **LILLEHAMMER, NORVÈGE** 1994 inaugure un nouveau cycle de quatre ans pour les Jeux d'hiver, décalés par rapport à ceux d'été.	**ATLANTA, ÉTATS-UNIS** En 1996, les Jeux du Centenaire se déroulent à Atlanta. La fête eut lieu malgré l'explosion d'une bombe dans le Centennial Olympic Park, qui fait deux victimes. Le sprinter Michael Johnson réalise un doublé historique sur 200 et 400 m. **NAGANO, JAPON** Apparition du snowboard, du curling et du hockey sur glace féminin.	**SYDNEY, AUSTRALIE** A Sydney, le taekwondo et le triathlon figurent parmi les nouvelles disciplines. **SALT LAKE CITY, ÉTATS-UNIS** La ville de Salt Lake City, accueillera les Jeux d'hiver en 2002. **ATHÈNES, GRÈCE** En 2004, les Jeux retourneront à Athènes, site des premiers Jeux de l'ère moderne en 1896.

21

LES JEUX D'ÉTÉ

En l'an 2000 à Sydney, les concurrents des jeux Olympiques s'affronteront dans 28 disciplines différentes, lesquelles regrouperont près de 300 épreuves individuelles ou par équipes.

Certaines, par exemple la course de relais en athlétisme, se disputent indépendamment des épreuves individuelles ; pour d'autres, notamment le saut d'obstacles en équitation, on désigne l'équipe victorieuse en combinant les résultats des représentants individuels de chaque pays. Deux épreuves olympiques regroupent plusieurs disciplines : le pentathlon moderne (escrime, natation, tir au pistolet, course et équitation) et le triathlon (course, natation, cyclisme).

Cette dernière épreuve se disputera pour la première fois aux Jeux de Sydney.

LES COURSES DE HAIES

Il existe deux épreuves de sprint, le 100 m pour les femmes ou le 110 m pour les hommes (illustré ici par le Britannique Colin Jackson), au cours desquelles les coureurs doivent franchir dix haies, et le 400 m, où les dix haies sont légèrement plus basses. Les hommes courent, en outre, le 3 000 m steeple comportant 28 obstacles et 7 passages de la rivière.

L'ATHLÉTISME

La plupart des épreuves d'athlétisme relèvent de trois grandes catégories – les courses, les lancers et les sauts. Il y a aussi des épreuves de marche et des épreuves combinées, le décathlon pour les hommes et l'heptathlon pour les femmes.

Les javelots des hommes mesurent 2,70 m de long ; ceux des femmes, 2,30 m.

LE JAVELOT

C'est l'un des quatre lancers olympiques. Ce croquis montre le champion de 1912, le Suédois Eric Lemming. Les autres lancers sont le poids, le disque et le marteau. Le concurrent qui lance l'engin le plus loin remporte la médaille d'or.

Les sprinters utilisent des starting-blocks.

Les blocs peuvent être ajustés selon les besoins de chaque athlète.

LES COURSES

Parmi les courses sur le plat, on compte des épreuves de sprint (100, 200 et 400 m), de demi-fond (800 et 1500 m) et de fond (5 000 et 10 000 m et le marathon). Des équipes de quatre coureurs disputent les relais 4 x 100 et 4 x 400 m qui sont, traditionnellement, les dernières épreuves du programme d'athlétisme.

LES SAUTS

Il y a le saut en longueur (illustré ici par l'Américaine Jackie Joyner-Kersee), le saut en hauteur, le triple saut et le saut à la perche. Pour le saut en longueur et le triple saut, les concurrents ont droit à six essais. Pour le saut en hauteur et le saut à la perche, la barre est haussée par paliers successifs jusqu'à ce qu'il ne reste plus qu'un concurrent.

Le ruban décrit des arabesques dans les airs, suivant les mouvements du bras de la gymnaste.

Le ruban est fixé à un court bâton.

LES SPORTS NAUTIQUES

Le canoë (ci-contre les Allemands Berro et Trummer lors de la finale olympique de 1992 en C2), le kayak, le yachting et l'aviron sont des sports nautiques olympiques. Pour le canoë (à pagaie simple) et le kayak (à pagaie double), il existe des courses de sprint sur le plat et de slalom en descente.

Les mouvements de danse font partie de la gymnastique rythmique et sportive.

Le ruban doit toujours être en mouvement.

LES ÉPREUVES DE TIR

Le tir à l'arc, illustré ici, et le tir sont des sports olympiques. Les archers concourent sur quatre distances et les scores sont combinés. Dans chacune des quinze épreuves de tir, les concurrents visent des cibles stationnaires avec des carabines et des pistolets, ou bien des cibles mobiles avec des fusils.

Les gymnastes rythmiques et sportives se produisent en musique et manient divers accessoires.

LA GYMNASTIQUE

Pour les hommes on compte six épreuves (exercices au sol, cheval-d'arçons, anneaux, saut de cheval, barres parallèles, barre fixe), pour les femmes, quatre (saut de cheval, barres asymétriques, poutre, exercices au sol). Le trampoline et la GRS, ou gymnastique rythmique et sportive, réservée aux femmes, font aussi partie des disciplines olympiques.

Accessoires utilisés pour la GRS

Massues

Corde

Le coureur cycliste espagnol Miguel Indurain aux jeux Olympiques de 1996.

Les gymnastes rythmiques et sportives n'ont que des exercices au sol.

Cerceaux

LE CYCLISME

Aux jeux Olympiques le cyclisme se scinde en épreuves sur piste (dans un vélodrome, sur une piste ovale et en pente), sur route et VTT. Les épreuves sur piste et sur route se composent de courses ordinaires, de courses contre la montre et de poursuites au cours desquelles un cycliste ou une équipe tentent d'en rattraper un ou une autre.

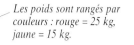

Les poids sont rangés par couleurs : rouge = 25 kg, jaune = 15 kg.

Les poids sont en caoutchouc renforcé de plaques en fonte.

Il y a dix catégories de poids pour les haltérophiles.

L'HALTÉROPHILIE

Il existe deux épreuves olympiques d'haltérophilie. Pour l'épaulé-jeté, le concurrent soulève l'haltère en deux temps, la hissant d'abord au niveau des épaules, avant de la porter à bout de bras. Pour l'arraché, il la soulève directement au-dessus de sa tête.

LES SPORTS DE COMBAT

Les sports de combat olympiques sont le judo (illustré ici par Kenzo Nakamura et Martin Schmidt en 1996), le taekwondo, la boxe, la lutte et l'escrime. Il y a trois armes en escrime : le fleuret, l'épée et le sabre. Dans les autres sports de combat existent des catégories de poids. La lutte peut être gréco-romaine ou libre.

Pour les épreuves de dressage, les cavaliers endossent une tenue spéciale.

LES SPORTS ÉQUESTRES

L'équitation figure au programme des jeux Olympiques depuis 1912. Il y a trois disciplines équestres : le saut d'obstacles, le dressage et le concours complet, lequel regroupe trois épreuves (dressage, cross-country et saut d'obstacles) disputées sur trois jours. Dans chaque discipline, on peut remporter des médailles individuelles et par équipes.

Le cheval doit se montrer obéissant, souple et puissant.

Au repos, le cheval se tient immobile, bien campé sur ses quatre pattes.

Pour le dressage olympique, le cheval ne doit exécuter que des mouvements naturels.

LES SPORTS DE RAQUETTE ET DE BATTE

Le tennis figure au programme olympique depuis 1896, le tennis de table depuis 1988 et le badminton depuis 1992. Dans chacun de ces sports, hommes et femmes peuvent gagner des médailles en simple et en double. Seul le badminton a une épreuve de double mixte. Le tennis est l'un des rares sports où l'on voit évoluer les meilleurs joueurs professionnels.

La plupart des raquettes de tennis ont des cordes en matière synthétique.

LES SPORTS AQUATIQUES

Les épreuves de natation (illustrée ici par l'Australienne Shane Gould en 1972), de plongeon, de natation synchronisée et de water-polo se déroulent dans la piscine olympique de 50 m. En natation, il y a seize épreuves chez les hommes comme chez les femmes, relais compris. Pour les épreuves de plongeon, les concurrents sautent de 3 m (tremplin) et de 10 m (haut-vol).

Le tennis fut banni des Jeux pendant des décennies pour professionnalisme.

LES SPORTS D'ÉQUIPE

Les sports d'équipe olympiques sont le basket-ball, le football, le volley-ball, le hockey (sur gazon), le handball, le base-ball (pour les hommes) et le softball (pour les femmes). Le water-polo, discipline par équipes, se joue dans la piscine. A présent que les professionnels ne sont plus exclus des Jeux, beaucoup de joueurs célèbres participent aux épreuves par équipes.

La Dream Team (équipe de rêve) de 1992 a remporté chacun de ses matchs avec une marge de 44 points en moyenne.

Ballon de basket signé par la *Dream Team* américaine de 1992.

LE FOOTBALL

L'épreuve olympique n'est pas aussi importante que la Coupe du monde et de nombreux pays n'y prennent pas part. Dans chaque équipe, tous les joueurs sauf trois doivent avoir moins de 23 ans, mais chez les femmes il n'y a aucune restriction. Cette photo a été prise en 1996 lors d'une demi-finale féminine opposant le Brésil à la Chine.

LE VOLLEY-BALL

Ce sport est pratiqué en salle par les hommes et les femmes, qui s'affrontent par équipes de six joueurs de part et d'autre d'un haut filet. Il faut renvoyer la balle par-dessus le filet avec les mains. On voit ici un match entre les Pays-Bas et l'Italie en 1996. Le beach volley, qui se joue à deux par équipes, a été introduit aux Jeux d'Atlanta en 1996.

LE HOCKEY

Le hockey sur gazon se joue à onze joueurs par équipes ; il s'agit de se passer la balle et de marquer des buts, un peu comme au football, mais au moyen d'une crosse. Aucun contact n'est admis entre les joueurs. Les tournois olympiques se disputent toujours sur gazon synthétique. Le match féminin, illustré ici, opposait l'Australie à l'Espagne en 1996.

LE BASKET-BALL

Il existe une épreuve masculine et une épreuve féminine. Les jeux Olympiques ont vu se dérouler un des matchs les plus serrés de l'histoire de ce sport. Lors de la finale de 1972, l'URSS a privé les Etats-Unis d'un septième titre consécutif en les battant par 51 points à 50. A partir de 1992, les professionnels ont été admis et la *Dream Team* américaine était composée des plus grandes stars nationales.

LES JEUX D'HIVER

Aux jeux Olympiques d'hiver, tous les sports se déroulent sur la neige ou la glace. À Salt Lake City, en 2002, les concurrents s'affronteront dans huit sports et groupes de sports, lesquels compteront plus de soixante épreuves individuelles ou par équipes, permettant de remporter des médailles. Comme pour les Jeux d'été, dans certaines épreuves par équipes, les athlètes concourent à titre individuel et leurs scores s'additionnent. Dans d'autres, par exemple le curling, l'équipe entière joue en même temps. Le curling rappelle le jeu de boules. Il oppose, sur une patinoire, deux équipes de quatre joueurs qui font glisser sur la glace en direction d'une cible de gros palets de pierre polie.

Timbre hongrois commémorant les Jeux de Lake Placid, en 1980

LE SKI NORDIQUE
Le ski de fond et le saut à skis, illustré ici par le Français Didier Mollard, sont les deux disciplines du ski nordique. Les courses à skis, qui se déroulent sur des distances allant de 5 à 50 km, se divisent entre courses classiques et courses libres où il est interdit d'utiliser le pas des patineurs.

Le dernier équipier actionne le frein en fin de parcours.

La bob glisse sur des patins.

LE BOBSLEIGH
Les épreuves de bob à deux et de bob à quatre se déroulent sur une piste inclinée, étroite, couverte de neige, où alternent lignes droites et virages. Les concurrents poussent l'engin pour partir et sautent dedans quand il prend de la vitesse. Le pilote, assis devant, guide le bob le long de la piste. L'équipe ayant le temps total le plus faible après quatre courses remporte la médaille d'or. On voit ici l'équipe suisse de bob à deux, composée de Gustav Weder et de Donat Acklin, championne olympique à Lillehammer en 1994.

Le concurrent glisse à plat dos sur sa luge afin de réduire autant que possible la résistance à l'air.

LE HOCKEY SUR GLACE
Rapide et violent, le hockey sur glace est le seul sport d'hiver qui se pratique sur un terrain. Il existe des tournois masculin et féminin. Sur les vingt joueurs de chaque équipe, six seulement, dont un gardien de but, ont le droit de se trouver en même temps sur la glace. On voit ici un match entre la Finlande et la Russie en 1994.

LA LUGE
Sur cette photo, le Canadien Tyler Seitz dispute l'épreuve de luge monoplace en 1998. La luge de compétition est un engin très léger qui emprunte le même circuit que le bobsleigh. Les concurrents avancent les pieds en avant, négociant les virages à l'aide de petits mouvements des pieds et du corps. Il existe des épreuves monoplaces et biplaces pour les hommes et seulement monoplaces pour les femmes. Le concurrent bénéficiant du temps total le moins élevé après une série de parcours l'emporte.

LE SKI ALPIN

Les épreuves traditionnelles pour les hommes et les femmes sont la descente, illustrée ici par l'Italien Peter Runggaldier, le slalom spécial, le slalom géant et le slalom super-géant, ou « super-G ». Le combiné comprend un slalom spécial et une descente. Deux épreuves de snowboard – le super-G et le half-pipe – ont été inaugurées en 1998. Il existe aussi deux épreuves de ski artistique, les bosses et le saut, au cours desquelles les skieurs tentent des acrobaties, des pirouettes et des sauts périlleux en sautant d'un tremplin.

En ski alpin, les descendeurs atteignent des vitesses dépassant les 140 km/h.

Les spécialistes du biathlon doivent tirer debout et allongés.

La semelle des skis est enduite de fart pour réduire la friction et lui permettre de glisser plus aisément sur la neige.

Les bâtons des skieurs sont des tubes de métal ultraléger.

Le bob possède un bâti ultraléger et profilé, afin d'avancer le plus vite possible.

LE BIATHLON

Dans cette discipline, les concurrents effectuent une course à skis, s'arrêtant tous les quelques kilomètres pour tirer sur des cibles. Ainsi, dans le 15 km dames, que l'on voit ici, les concurrentes s'arrêtent quatre fois pour tirer cinq balles. Le temps le plus rapide permet de remporter la médaille d'or ; chaque fois que la cible est ratée, le concurrent reçoit un certain temps de pénalisation ou doit parcourir un tour de pénalisation sur un bref circuit.

LE PATINAGE DE VITESSE

Les courses sur piste longue se déroulent sur un circuit ovale de 400 m. Les concurrents courent deux par deux contre la montre sur des distances qui vont de 500 à 10 000 m. Dans les épreuves de sprint, illustrées ici par le Coréen Jun Ho-lee, les concurrents s'affrontent directement autour d'une piste courte de 111 m, sur des distances de 500 et de 1 000 m à titre individuel et 3 000 pour les courses en relais.

Les patineurs de vitesse portent des casques en cas de chute.

Sur la piste courte, les patineurs ont le droit de toucher la glace de la main dans les virages pour maintenir leur équilibre.

LE PATINAGE ARTISTIQUE

Les épreuves ont lieu dans une patinoire couverte sur une piste ovale. Les concurrents se déplacent en musique sur la glace, exécutant des glissades, des pas, des pirouettes et des sauts, et sont notés par des juges. Il existe des épreuves pour les hommes, les femmes et les couples, composées d'un programme court ou original et d'un programme long ou libre. La danse sur glace s'exécute en couple ; l'accent est mis sur l'interprétation musicale, les sauts dépassant une certaine hauteur et les portés ne sont pas admis. Il existe en danse un troisième programme de figures imposées.

La patineuse artistique américaine Nancy Kerrigan aux Jeux de 1994

LES JEUX PARALYMPIQUES

Les jeux Paralympiques d'hiver et d'été sont les plus importants rassemblements sportifs réservés aux athlètes souffrant de handicaps physiques ou mentaux. Ils ont lieu la même année que les jeux Olympiques et dans la même ville. Le « para » de paralympiques indique qu'ils ont lieu parallèlement aux jeux Olympiques et qu'ils les complètent. Les athlètes concourent dans une ou plusieurs des catégories, selon la nature de leur handicap. Actuellement, on compte dix-huit sports aux Jeux d'été et cinq aux Jeux d'hiver.

Les concurrents portent un casque de coureur cycliste, en cas d'incident à grande vitesse.

LA MÉDAILLE D'ARGENT
Cette médaille décernée aux Jeux de Barcelone en 1992 porte une inscription en braille à l'intention des aveugles.

Les marathoniennes atteignent des vitesses qui dépassent les 60 km/h.

Les athlètes doivent être puissants des bras et du torse.

Les jambes sont repliées sous le corps.

La marathonienne britannique, Rose Hill

LES COURSES EN FAUTEUIL ROULANT
Les concurrents s'affrontent en fauteuil roulant sur toutes les distances classiques du 100 m au marathon. Les fauteuils de compétition sont aussi spécialisés que les vélos de course. Les athlètes se dirigent grâce à la roue avant et, pour les courses sur piste, on peut ajuster la direction de façon qu'un simple petit coup sur un levier permette de prendre les virages.

C'est avec les roues que l'athlète propulse son fauteuil.

LE BASKET-BALL

Le basket-ball en fauteuil roulant est l'une des épreuves originales des jeux Paralympiques. La plupart des règles – nombre de joueurs, dimensions du terrain, hauteur du panier – sont celles de la Fédération internationale de basket-ball. Les fauteuils sont conçus pour permettre aux joueurs d'accélérer et de virer rapidement. Pour la première fois des compétiteurs souffrant de handicaps mentaux participeront aux Jeux de Sydney en l'an 2000.

L'ESCRIME

Les escrimeurs paralympiques, que l'on voit ici à Barcelone en 1992, s'affrontent avec les trois armes, fleuret, épée et sabre. Leurs fauteuils roulants sont fixés au sol, afin d'éviter toute culbute. L'athlète se penche en avant pour attaquer et en arrière pour se défendre.

LE SAUT EN LONGUEUR

Il existe des épreuves de saut dans plusieurs catégories de handicap. On voit ici le Brésilien Ricardo Ignacia, dans le saut en longueur pour amputés. Il porte une prothèse spécialisée qui supporte les efforts de la course d'élan, de l'appel et de la réception au sol.

LE SPRINT

Ci-dessus, le Britannique Stuart Bryce, lors des Jeux de 1992. Il est amputé de la jambe droite au-dessus du genou. Sa prothèse, terminée par une chaussure ordinaire, lui permet d'obtenir un temps inférieur de dix pour cent seulement à celui des champions olympiques.

Une barre est attachée à la roue avant pour diriger l'engin.

Le châssis du fauteuil mesure 1,40 m de long.

Les sprinters en fauteuil roulant portent trois paires de gants pour éviter les ampoules.

LE CYCLISME

Le cyclisme sur route est devenu un sport paralympique en 1988, suivi par le cyclisme sur piste en 1996. Les coureurs s'affrontent dans trois catégories – handicapés visuels, paralysie cérébrale et amputés. Les cyclistes aveugles courent sur des tandems avec un partenaire non handicapé. Ici, les Américains Cara Dunney et Scott Evans participent à l'épreuve de poursuite en 1996.

LA VALSE DES ÉPREUVES

Les Jeux d'été et d'hiver ont un programme établi. Le nombre de sports et d'épreuves n'a cessé d'augmenter depuis les premiers Jeux de l'ère moderne en 1896. Le programme a été long à se stabiliser. De nombreuses disciplines, parfois étranges comme la natation sous l'eau et la montée à la corde, ont disparu sans laisser de traces, souvent après une seule apparition. D'autres, comme le tir à l'arc ou le tennis, ont été incluses, abandonnées, puis réintégrées longtemps après. La plupart des sports sont aujourd'hui pratiqués par les hommes et les femmes mais jusqu'à la Seconde Guerre mondiale, les épreuves féminines étaient fort rares et, en 1896, elles étaient carrément inexistantes.

LE TENNIS
Le tennis figurait au programme des premiers Jeux de l'ère moderne et resta discipline olympique jusqu'en 1924, date à laquelle il fut exclu parce que le CIO et la Fédération internationale de tennis n'étaient pas d'accord sur le statut d'amateur. Il fut réintroduit en 1984 ; Steffi Graf et Stefan Edberg furent vainqueurs en simple.

LES JEUX DE L'ANTIQUITÉ
Pendant cinquante ans au moins, jusqu'en 728 av. J.-C., la seule épreuve des Jeux fut une course de sprint sur toute la longueur du stade d'Olympie. Au cours des cinq cents années suivantes on vit progressivement apparaître d'autres épreuves, notamment d'autres courses à pied, la lutte, le pentathlon, le pugilat, les courses de chevaux montés et les courses de chars.

Saut en longueur avec haltères, figurant sur un vase antique

LE SAUT AVEC HALTÈRES
A Olympie, l'unique épreuve de saut était un saut en longueur avec haltères qui faisait partie du pentathlon. L'athlète prenait une brève course d'élan avant de projeter ses haltères en avant pour donner plus de puissance à son saut. Il pouvait s'agir d'un saut simple, double ou triple.

LE PANCRACE
Au pancrace, sport de combat de l'Antiquité, tous les coups ou presque étaient permis. C'était un mélange de lutte et de boxe, qui n'était pas divisé en reprises, ni limité dans le temps. En principe, on n'avait pas le droit d'enfoncer les doigts dans les yeux de l'adversaire ou de le mordre, mais c'était pourtant chose courante. Le but était de terrasser son adversaire.

LES COURSES DE CHARS
Ces épreuves spectaculaires, hasardeuses et très prisées avaient lieu sur la piste ovale de l'hippodrome. Il y avait des courses pour bige (char à deux chevaux) et quadrige (à quatre), pour poulains et pour chevaux âgés. Les propriétaires de char engageaient les services d'un conducteur, car l'exercice était fort dangereux, mais si leur attelage gagnait, c'étaient eux qui recevaient les acclamations.

Le conducteur du char se tenait sur un marchepied.

Haltère pour le saut datant du Ve siècle av. J.-C.

Les courses de chars se disputaient sur des distances allant d'environ 4 km à plus de 12 km.

Le cheval de l'autre côté de l'attelage a disparu.

La plupart des chars étaient en bois, osier et cuir.

Maquette romaine en bronze d'un char à deux chevaux

LES JEUX D'HIER

A l'époque où les Jeux de l'ère moderne n'en étaient encore qu'à leurs balbutiements, le programme était souvent bouleversé d'une olympiade à l'autre. Les pays organisateurs évinçaient les sports peu pratiqués chez eux au profit de sports plus en vogue.

On abandonna le tir aux pigeons vivants, parce qu'il coûtait la vie à un trop grand nombre de volatiles.

LE TIR AU PIGEON
A l'origine, les épreuves olympiques de tir étaient étroitement liées aux pratiques de la guerre et de la chasse. A Paris, en 1900, on tira pour la seule et unique fois sur des pigeons vivants. De nos jours, le tir sur des pigeons d'argile projetés dans les airs fait partie du programme.

LE TIR À LA CORDE
Dans l'épreuve du tir à la corde, que l'on voit ici lors de sa dernière apparition aux Jeux de 1920, deux équipes tirent sur les bouts opposés d'une grosse corde dans le but de faire franchir aux adversaires une ligne médiane. En 1900, le Danemark et la Suède réunis, faute d'avoir trouvé assez de membres pour former deux équipes, s'adjugèrent la médaille d'or.

LE RUGBY
Il fit partie des Jeux organisés par des nations qui le pratiquaient. On ne le vit ni à Athènes en 1896, ni à Saint Louis en 1904, ni à Stockholm en 1912. Il disparut définitivement après 1924. Parmi les autres sports d'équipes assez vite éliminés du programme olympique figurent le polo et le cricket.

Les ballons de rugby utilisés jadis étaient plus ronds que ceux d'aujourd'hui.

Les palets de curling peuvent peser jusqu'à 20 kg.

LES JEUX D'AUJOURD'HUI

Le programme olympique continue à s'étoffer. Parmi les disciplines récemment adoptées figurent des sports traditionnels comme le tennis, ou d'invention récente comme le snowboard. Les fédérations internationales doivent soumettre une demande d'admission au CIO. Pour figurer aux Jeux d'été, le sport doit être pratiqué dans 75 pays répartis sur quatre continents pour les hommes et dans 40 pays répartis sur trois continents chez les femmes.

LE CURLING
Ce sport séculaire a été introduit dans le programme des Jeux d'hiver à Nagano en 1998. Les joueurs doivent lancer sur la glace un palet en pierre polie, de façon à ce qu'il glisse jusqu'au milieu de la cible. Né sans doute en Ecosse, ce sport est surtout populaire au Canada.

LE TAEKWONDO
Le mot signifie à peu près « art de donner des coups de pied et des coups de poing ». Les combats sont divisés en reprises, on marque des points quand on atteint l'adversaire au tronc ou au visage. Ce sport d'origine coréenne fera ses débuts aux jeux Olympiques de l'an 2000.

LA NATATION SYNCHRONISÉE
Comme le montre ici l'équipe italienne en 1996, les nageuses doivent évoluer dans l'eau en suivant la musique avec une parfaite synchronisation. Sport de démonstration dès 1952, la « synchro » ne devint discipline olympique qu'en 1984.

LES GRANDS CHAMPIONS

L'histoire des jeux Olympiques regorge d'exploits aussi édifiants qu'héroïques, mais qu'est-ce qui fait d'un grand athlète un grand champion olympique ? Peut-être le fait de triompher deux fois de suite, ou même plus, à quatre années de distance, ou bien de remporter plusieurs épreuves lors des mêmes Jeux ; ou bien tout simplement de participer à plusieurs reprises, et de promouvoir l'idéal olympique malgré la défaite. Quoi qu'il en soit, beaucoup de grands champions et de grandes championnes n'ont jamais décroché de médaille d'or, soit à cause d'une blessure ou d'une méforme au moment crucial, soit parce qu'ils étaient professionnels à l'époque de l'amateurisme pur et dur, soit encore parce que leur discipline ne figurait pas au programme olympique.

LA TABLETTE DU VAINQUEUR
Sur cette pierre sont gravés les exploits de l'athlète romain Lucius qui « prit part valeureusement à toutes les réunions athlétiques ».

JIM THORPE
Médaillé d'or du décathlon et du pentathlon (supprimé depuis et à ne pas confondre avec le pentathlon moderne) à Stockholm en 1912, l'Américain Jim Thorpe était considéré comme le plus grand et le plus complet athlète de son temps. Il fut ensuite professionnel de base-ball et de football américain.

LES CHAMPIONS D'ÉTÉ

Tous les Jeux d'été ont été marqués par un immense exploit, voire plusieurs, sur la piste, dans la piscine ou au gymnase. On parle surtout des athlètes qui remportent les grands classiques, comme le 100 m ou le marathon. Les gagnants des épreuves moins suivies, par exemple le tir ou le yachting, sont souvent les héros méconnus des jeux Olympiques.

JESSE OWENS
Le nom de Jesse Owens, que l'on voit ici dans un cliché emprunté au film de Leni Riefenstahl, *Les Dieux du stade*, restera associé à tout jamais aux Jeux de Berlin de 1936. Sous le regard raciste des hauts dignitaires nazis, il décrocha les médailles d'or du 100 et du 200 m, de saut en longueur et du relais 4 x 100 m, établissant au passage deux records olympiques et un record du monde.

EMIL ZÁTOPEK
Aux Jeux d'Helsinki, en 1952, un officier de l'armée tchèque, Emil Zátopek, que l'on voit ici en tête dans l'une des séries du 5 000 m, devint le seul athlète de l'histoire olympique à remporter les médailles d'or du 5 000 m, du 10 000 m et du marathon au cours des Jeux de 1952.

Découpe très simple du talon

Fine semelle en cuir munie de pointes

Empeigne en cuir souple

La chaussure de course d'Emil Zátopek

PAAVO NURMI
Le coureur de demi-fond finlandais, Paavo Nurmi, que l'on voit ici dans la foulée de son grand rival Ville Ritola, fut l'un des premiers athlètes à aborder son entraînement de façon scientifique, ce qui l'aida à décrocher un total de 12 médailles olympiques, dont 9 médailles d'or, aux Jeux de 1920, 1924 et 1928. En 1924, après avoir remporté le 1500 m, il était encore assez en forme pour terminer premier du 5 000 m moins d'une heure plus tard.

Empeigne et lacets synthétiques

Talon renforcé

Les chaussures d'athlétisme des années 1980 soutenaient mieux le pied et absorbaient davantage les chocs que celles que portait Zátopek dans les années 1950.

La chaussure de course de Carl Lewis

Autographe de Carl Lewis

Carl Lewis à Séoul en 1988

Tanni Grey a concouru sur plusieurs distances.

CARL LEWIS
Le sprinter et sauteur américain Carl Lewis a régné tout au long des années 1980. Sa meilleure année olympique a été 1984, puisqu'il a remporté le 100 et le 200 m, le saut en longueur et le 4 x 100 m, égalant ainsi l'exploit de Jesse Owens en 1936. Il conserva ses titres sur 100 m et au saut en longueur quatre ans plus tard, et gagna une dernière médaille d'or de relais en 1992.

NADIA COMANECI
Ayant commencé à s'entraîner dès l'âge de 6 ans, la gymnaste roumaine Nadia Comaneci acquit très vite un sens parfait de la coordination et de l'équilibre. A 14 ans, elle remporta trois médailles d'or à Montréal, en 1976, dont celle du concours général individuel. Elle fut la première gymnaste à obtenir en compétition un 10, la note maximale, aux barres asymétriques.

TANNI GREY
On voit ici la Britannique Tanni Grey triompher du 400 m en fauteuil roulant aux Jeux de Barcelone en 1992. Cette très grande championne obtint sa première médaille (le bronze) à Séoul en 1988, remporta quatre médailles d'or à Barcelone et faillit bien décrocher une autre médaille à Atlanta en 1996.

A Séoul, Lewis courut le 100 m en 9s 92 et devint champion olympique après la disqualification de Ben Johnson.

Suite p. 34

REDGRAVE ET PINSENT

A Atlanta en 1996, le rameur Steve Redgrave (à gauche) fut médaillé d'or pour la quatrième fois de suite. C'était sa deuxième victoire consécutive en deux sans barreur avec Matthew Pinsent. En 1988, il avait déjà remporté la même épreuve avec Andrew Holmes et, en 1984, il faisait partie du quatre barré victorieux. Il tentera de remporter une cinquième médaille d'or à Sydney dans l'épreuve du quatre sans barreur.

Dans les années 1960, on portait des lunettes, mais pas de casque.

Les bâtons servent à maintenir l'équilibre dans les virages.

Tenue deux-pièces au lieu des combinaisons une-pièce des skieurs d'aujourd'hui.

MARK SPITZ

Les Jeux de Munich en 1972 furent le théâtre d'un des plus grands exploits sportifs de tous les temps. Le nageur américain Mark Spitz remporta les quatre courses individuelles dans lesquelles il s'était engagé – 100 et 200 m nage libre, 100 et 200 m papillon – avec quatre records du monde à la clé. En raflant trois autres médailles d'or dans les relais, il devint le premier athlète à s'adjuger sept médailles d'or au cours des mêmes Jeux. Il avait déjà rapporté des Jeux de Mexico en 1968 deux médailles d'or en relais.

Weissmuller fut le premier homme à nager le 100 m en moins d'une minute.

JOHNNY WEISSMULLER

Le nageur américain Johnny Weissmuller est surtout connu pour avoir interprété le rôle de Tarzan dans toute une série de films des années 1930 et 1940. Avant cela, pourtant, il avait gagné cinq médailles d'or olympiques – trois en 1924 (100 et 400 m nage libre et 800 m relais) et deux en 1928 (100 m nage libre et 800 m relais). Il remporta en outre une médaille de bronze en 1924, avec l'équipe de water-polo des Etats-Unis.

Johnny Weissmuller dans le rôle de Tarzan

FANNY BLANKERS-KOEN

La sprinteuse hollandaise Fanny Blankers-Koen domina les Jeux de Londres en 1948. Elle décrocha l'or dans le 80 m haies, le 100 et le 200 m plat et le relais 4 x 100 m. A cette époque, elle détenait sept records du monde, dont ceux du saut en longueur et du saut en hauteur, épreuves qu'elle ne disputa pas aux jeux Olympiques. Mère de deux enfants, elle était surnommée la « ménagère volante ».

Les épaisses semelles s'encastrent dans les fixations que porte le ski.

Attache métallique

Les chaussures de ski de Killy en 1968

LES CHAMPIONS D'HIVER

Parmi les héros et les héroïnes des Jeux d'hiver figurent les intrépides descendeurs du ski alpin, les patineurs aussi gracieux qu'adroits, les courageux spécialistes du saut à skis et les skieurs de fond tenaces et résistants. Le patineur de vitesse américain Eric Heiden a droit à une mention spéciale pour avoir remporté en 1980 la médaille d'or des cinq épreuves individuelles, un exploit resté unique dans les annales olympiques.

JEAN-CLAUDE KILLY
Le skieur français Jean-Claude Killy a grandi à Val-d'Isère, dans les Alpes. En 1968, à 24 ans, il remporta les trois titres de ski alpin (descente, slalom spécial et slalom géant) aux Jeux de Grenoble. Il est membre du CIO depuis 1995.

Jean-Claude Killy négociant un virage serré lors de la Coupe du monde de 1967

Sonja Henie posant devant les objectifs

Les tenues osées de Katarina Witt aux Jeux de 1988 lui valurent quelques critiques.

KATARINA WITT
Aux Jeux d'hiver de Calgary, en 1988, Katarina Witt, qui concourait alors sous les couleurs est-allemandes, remporta la médaille d'or de patinage artistique, conservant le titre qu'elle avait obtenu à Sarajevo quatre ans plus tôt. Elle était la première patineuse à réaliser cet exploit depuis Sonja Henie, ce qui lui valut une récompense spéciale de la part du CIO.

Katarina Witt en pleine action aux Jeux de 1988

SONJA HENIE
La patineuse norvégienne Sonja Henie fut une enfant prodige. Elle décrocha son premier titre national à 10 ans seulement et participa aux Jeux de 1924 à l'âge de 12 ans. Elle remporta l'épreuve olympique trois fois de suite, en 1928, 1932 et 1936. Elle fut aussi championne du monde de 1927 à 1936, avant de tenir la vedette dans onze films hollywoodiens.

RAÏSA SMETANINA
La skieuse de fond Raïsa Smetanina détient le record des médailles pour les Jeux d'hiver. En l'espace de quatre olympiades, de 1976 à 1988, elle a obtenu quatre médailles d'or, cinq médailles d'argent et une de bronze. Elle faisait partie de l'équipe d'URSS devenue équipe unifiée en 1992.

À LA POURSUITE DE LA FORME

Tous les athlètes rêvent de participer aux jeux Olympiques. Quand le moment est venu, il faut être au meilleur de sa forme. Pendant longtemps, on ne parlait pas de diététique pour les champions. Aujourd'hui, on sait que l'alimentation a une grande importance. Il faut veiller à bien s'hydrater et à disposer de réserves énergétiques suffisantes au niveau musculaire. Les athlètes doivent donc suivre un régime équilibré dans lequel entrent les vitamines et les minéraux essentiels à la santé. On trouvera ici tout ce qu'un spécialiste du décathlon en plein entraînement doit absorber au cours d'une journée.

SUBSTANCES INTERDITES

Certains athlètes sont si obnubilés par la victoire qu'ils se droguent ou absorbent des produits spéciaux pour devenir plus forts et plus rapides. Or non seulement ils trichent, mais ils mettent leur santé en danger. L'utilisation de substances « dopantes » et d'hormones de croissance est donc interdite par les instances nationales et internationales.

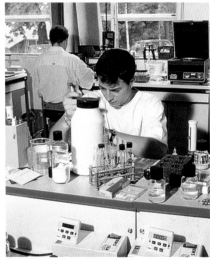

LES CONTRÔLES ANTI-DOPAGE
Chaque médaillé olympique fournit un échantillon d'urine analysé en laboratoire, afin d'y déceler la présence éventuelle de substances interdites. Les techniques de dépistage sont de plus en plus élaborées pour lutter contre les fraudes.

Un grand verre d'eau

8 H DU MATIN – LE PETIT DÉJEUNER
Au réveil, un décathlonien boira un grand verre d'eau pour se réhydrater après le sommeil. Il prendra un premier repas léger, afin de ne pas avoir faim pendant sa première séance d'entraînement et de remonter ses niveaux d'énergie, surtout son taux de glycémie. La vitamine C du jus d'orange aide son corps à absorber le fer contenu dans les céréales. Quand le sang est trop pauvre en fer, on risque l'anémie.

143 ml de lait demi-écrémé

40 g de céréales à forte teneur énergétique

Jus d'orange

Une séance d'étirements échauffe les muscles avant le début de l'entraînement.

Un litre de boisson énergétique non pétillante

Un demi-litre de boisson énergétique non pétillante

11 H 30 – LA COLLATION DU MATIN
Les athlètes ont un gros appétit, parce qu'ils dépensent beaucoup d'énergie. Ils ne pourraient pas soutenir leur effort avec seulement trois repas par jour, si bien qu'ils prennent aussi des collations. Dès qu'ils ont terminé leur séance d'entraînement, ils consomment des aliments riches en hydrates de carbone afin de nourrir leurs muscles – de nombreux athlètes mangent quand ils se changent dans les vestiaires.

Deux grands verres d'eau

9 H-11 H 30 – L'ENTRAÎNEMENT
Au cours d'une dure séance d'entraînement, un athlète doit veiller à remplacer les liquides qu'il perd en transpirant, car la déshydratation débouche très vite sur la fatigue et le risque de blessure. Une forte déshydratation peut nuire à la santé. Les boissons isotoniques contiennent de l'eau, des hydrates de carbone et du sodium, ce qui leur permet de réhydrater efficacement le corps, surtout en cas de déshydratation importante.

Deux cuillerées à café de miel

Une grosse banane (120 g épluchée)

Pâte à tartiner pauvre en matières grasses

Quatre épaisses tranches de pain blanc grillé

14 H – LE REPAS DE L'APRÈS-MIDI
En période d'entraînement, un athlète se nourrit en début d'après-midi, afin d'avoir le temps de digérer avant de courir. Le repas comprend des hydrates de carbone, des protéines et une petite quantité de graisses. Les protéines et les graisses alimentent et réparent les tissus du corps. Une orange par jour fournit une dose suffisante de vitamine C. L'alimentation prévoit du calcium pour fortifier les os et les dents – lait, fromage et yaourt en sont d'excellentes sources. Certains athlètes ont l'impression que leur alimentation n'est pas assez riche en vitamines et en sels minéraux et ils en prennent des doses supplémentaires.

60 g de cheddar (fromage à pâte dure)

Une grosse orange (210 g)

Deux pommes de terre au four de taille moyenne (320 g)

330 ml de boisson énergétique

16 H – LA COLLATION DE L'APRÈS-MIDI

Environ une heure et demie avant le footing du soir, un athlète absorbera du liquide et des hydrates de carbone. Cette barre chocolatée est une bonne source d'hydrates de carbone.

Une barre chocolatée

Une grosse banane (120 g sans la peau)

Moses Kiptanui, champion kenyan du 3 000 m en 1996, court près de chez lui.

17 H 30 - 18 H 30 – LE FOOTING

Pour une heure de footing à un rythme peu intense, l'athlète n'emporte pas à boire. Par temps chaud, il prendra sans doute une bouteille ou prévoira une boisson quelque part sur son chemin.

Un grand verre d'eau

19 H 15 – LE REPAS DU SOIR

Les ingrédients que l'on voit ici permettront de préparer un poulet sauté aux légumes avec des pâtes, suivi d'un yaourt. Le repas comporte toujours beaucoup d'hydrates de carbone, une quantité raisonnable de protéines et un peu de matières grasses. Les fruits et les légumes contiennent des anti-oxydants afin de combattre les affections qui risqueraient d'avoir un effet néfaste sur le programme d'entraînement.

200 g de tomates en boîte concassées

160 g de sauce aigre-douce

150 g de yaourt aux fruits allégé

150 g de blanc de poulet sans peau

Légumes assortis à volonté

Grosse portion de pâtes (350 g cuites)

21 H – LA COLLATION DU SOIR

Pour ne pas avoir faim au coucher, les athlètes prennent souvent un sandwich et une boisson chaude deux heures après le dîner. Ils doivent veiller à ne pas ingérer trop de matières grasses au cours d'une journée, car le corps ne transforme pas facilement la graisse en énergie. Pour leurs diverses collations, ils tartinent donc le pain avec une pâte pauvre en matières grasses plutôt qu'avec du beurre.

Pâte d'arachide

Deux épaisses tranches de pain blanc

Pâte à tartiner pauvre en matières grasses

L'ENTRAÎNEMENT

Pour certains athlètes la compétition ne dure parfois que quelques minutes, voire quelques secondes. Aidés d'un entraîneur, ils s'efforcent d'arriver en forme le jour J. Leur but est d'aller jusqu'au bout d'eux-mêmes ce jour-là et, si possible, de décrocher une médaille.

LA RÉSISTANCE AU VENT

En compétition, la technique est aussi importante que la forme. Les athlètes s'entraînent interminablement pour tenter d'atteindre la perfection. En 1997, le skieur britannique Graham Bell a testé la résistance au vent de sa position en descente dans un tunnel spécial fabriqué pour mesurer la résistance au vent des voitures de formule 1.

LA MUSCULATION

Une blessure peut causer des mois d'inactivité, suivis de nombreux autres mois de remise en forme. La skieuse Picabo Street dut subir une importante opération du genou après un accident, mais elle voulait à tout prix participer aux Jeux de 1998. Grâce à un énorme travail, elle a remporté le slalom géant.

Tasse de thé additionnée de lait demi-écrémé

TAILLES ET GABARITS

Comme tous les êtres humains, les sportifs ne sont pas tous bâtis sur le même modèle. La pratique assidue de certains sports développe des particularités physiques, car plus on utilise un muscle, plus il devient puissant et volumineux. Par ailleurs, il y a des gabarits qui conviennent mieux à certains sports que d'autres. Ainsi, une femme de 1,50 m pesant 38 kg ne risque guère de faire des étincelles au lancer de poids qui exige de la force et un physique puissant. Elle aura tout intérêt à essayer la gymnastique où l'on a besoin d'équilibre et d'agilité.

L'HALTÉROPHILE
Les haltérophiles acquièrent beaucoup de puissance dans les jambes et les épaules. Leurs bras ne doivent être ni trop longs ni trop courts, car ils auraient alors plus de mal à les lever au-dessus de leur tête. Leur corps est généralement compact, ce qui leur permet d'exploiter au maximum leur force et leur équilibre.

La force des bras intervient lors de la dernière phase du mouvement.

L'haltérophile vu de profil

Les doigts et les poignets travaillent énormément et sont donc forts et souples.

Les gymnastes travaillent pieds nus.

Un gymnaste doit posséder un excellent contrôle musculaire.

La force dans les jambes est importante pour toutes les disciplines.

Les articulations du genou et de la cheville doivent pouvoir supporter une brusque pression lorsque l'athlète se redresse en soulevant l'haltère.

C'est le muscle épais de la fesse, appelé grand fessier, qui actionne la jambe.

LE GYMNASTE
La plupart des gymnastes sont petits et menus, ce qui est favorable à l'équilibre et facilite les flexions, torsions et sauts dans les quatre disciplines. Une gymnaste utilise toutes les parties de son corps et doit donc être forte et souple des pieds à la tête.

Les pieds doivent pouvoir supporter un poids très important.

L'impact des courses et des sauts est absorbé par le renfort des chaussures.

Les nageurs
portent un bonnet
pour réduire
la résistance.

Le muscle
deltoïde
soulève le bras.

LE PATINEUR DE VITESSE
Les patineurs de vitesse utilisent davantage les
muscles des jambes, ce qui développe leurs jambes et
leurs fesses. De longs bras aident à maintenir
l'équilibre dans les virages et des épaules puissantes
permettent d'accélérer les mouvements des bras
lorsqu'il faut avancer le plus vite possible.

Le muscle pectoral contribue
à actionner l'épaule.

Le biceps et le
triceps permettent
de plier et de
tendre le coude.

Des poumons bien
développés aident le
nageur à retenir sa
respiration sous l'eau
le plus longtemps
possible.

UN ATHLÈTE COMPLET
Le décathlonien participe à dix épreuves
différentes. Il doit être à la fois fort, rapide, agile
et endurant, en évitant de se concentrer sur une
seule de ces qualités. Par exemple, il n'a pas
intérêt à augmenter sa corpulence, afin de lancer
le poids plus loin, car cela le ralentirait dans les
épreuves de course.

De puissants
abdominaux
permettent à tout
le corps de mieux
fonctionner.

Une cuisse
musclée permet
de mieux se
propulser dans
l'eau.

Il faut des
épaules fortes et
souples pour
lancer le javelot.

LE NAGEUR
La résistance à
l'eau est beaucoup
plus grande que la
résistance à l'air et il
faut donc beaucoup
de force pour se
propulser dans cet
élément. Les nageurs de
compétition possèdent
dans le haut du dos une
puissante musculature afin
de soulever les bras et
d'actionner les épaules.
Les muscles des cuisses
permettent de fléchir et
de tendre les genoux et
les hanches.

Les muscles de
la taille, de
l'abdomen et des
reins relient les
mouvements du torse
à ceux des jambes et
ils sont utilisés dans
toutes les épreuves
d'athlétisme.

Les muscles adducteurs
situés derrière la jambe
permettent de tendre la
hanche et de fléchir le
genou. L'élongation ou la
déchirure des adducteurs
est l'une des blessures
les plus fréquentes
en athlétisme.

Le muscle du
mollet permet
de fléchir le
pied pendant
la course.

39

LES CAPRICES DE LA MODE

Au cours des cent dernières années, la mode sportive – à la fois la coupe des vêtements et la nature des tissus – a beaucoup changé. Les chemises de laine et les shorts de flanelle ont laissé place à des combinaisons légères et extensibles. Pour les chaussures, on préfère désormais au cuir rigide la souplesse des matières synthétiques. Les athlètes d'aujourd'hui portent des vêtements qui pèsent sans doute moins que les tenues de compétition du début du siècle. On sait à présent que les vêtements mal adaptés ralentissent le coureur ; or un dixième de seconde peut faire la différence.

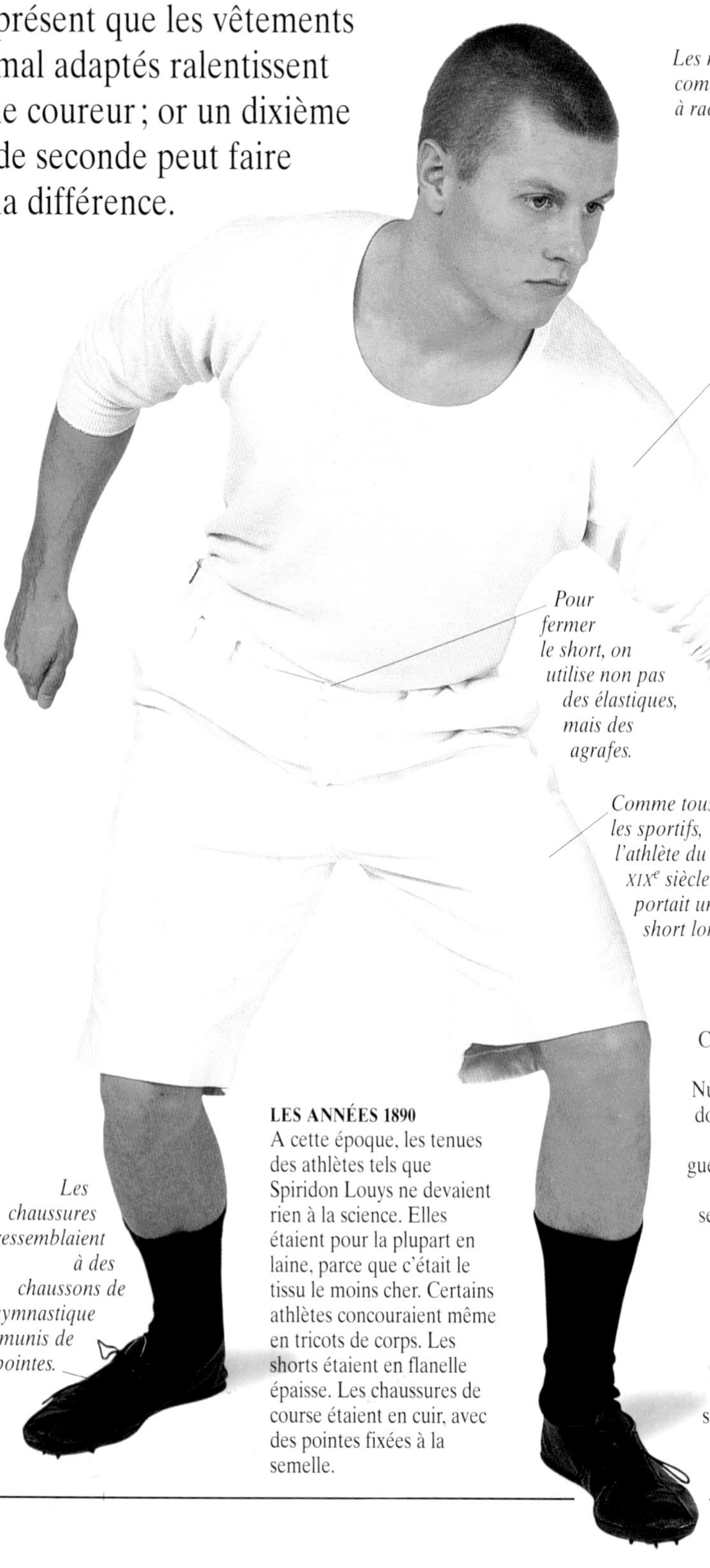

Chemise boutonnée sur le devant

Les manches commencent à raccourcir.

Chemise chaude à manches longues

Un cordon remplace les boutons et les agrafes du short.

Pour fermer le short, on utilise non pas des élastiques, mais des agrafes.

Comme tous les sportifs, l'athlète du XIXe siècle portait un short long.

Le short devient plus moulant

LES ANNÉES 1890
A cette époque, les tenues des athlètes tels que Spiridon Louys ne devaient rien à la science. Elles étaient pour la plupart en laine, parce que c'était le tissu le moins cher. Certains athlètes concouraient même en tricots de corps. Les shorts étaient en flanelle épaisse. Les chaussures de course étaient en cuir, avec des pointes fixées à la semelle.

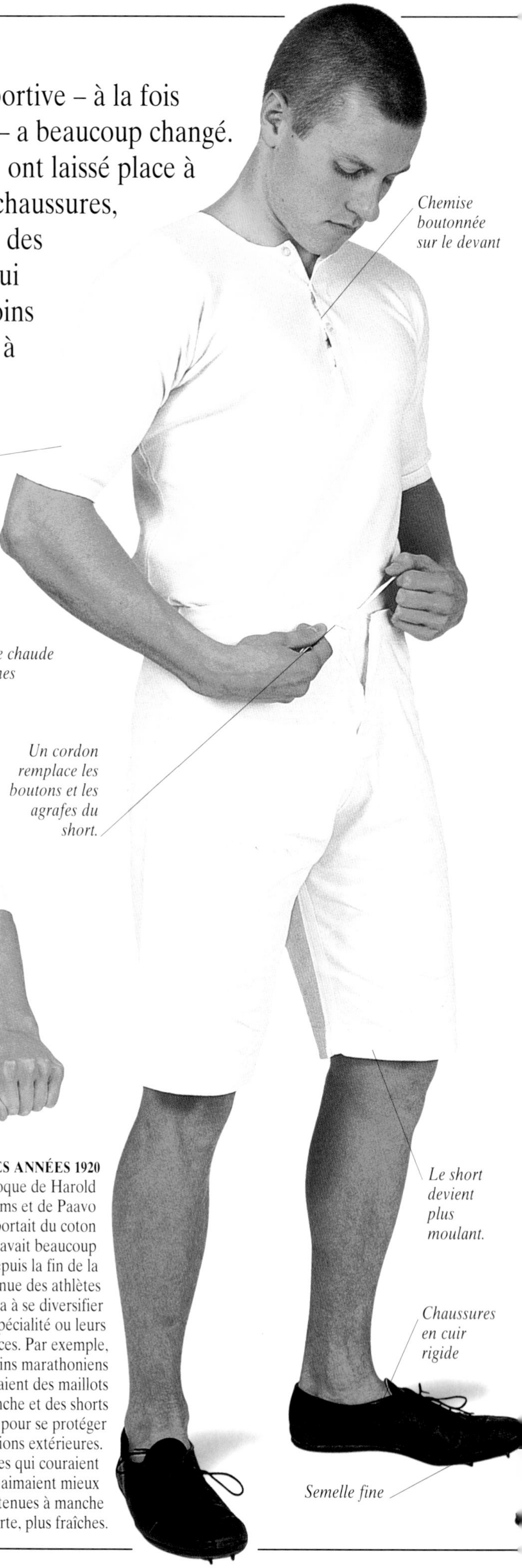

Les chaussures ressemblaient à des chaussons de gymnastique munis de pointes.

LES ANNÉES 1920
C'était l'époque de Harold Abrahams et de Paavo Nurmi. On portait du coton dont le prix avait beaucoup baissé depuis la fin de la guerre. La tenue des athlètes commença à se diversifier selon leur spécialité ou leurs préférences. Par exemple, certains marathoniens portaient des maillots à manche et des shorts longs pour se protéger des conditions extérieures. Les athlètes qui couraient sur la piste aimaient mieux les tenues à manche courte, plus fraîches.

Chaussures en cuir rigide

Semelle fine

LES ANNÉES 1950

A cette époque, quand Emil Zátopek était à son apogée, on adopta les maillots sans manches, frais et confortables. On appréciait aussi les shorts en Nylon pour leur légèreté. Les athlètes portaient des tenues de différentes couleurs, qui constituaient une sorte d'uniforme national.

LES ANNÉES 1990

De nos jours, les jeux Olympiques sont extrêmement colorés. Chaque nation possède sa tenue conçue spécialement pour l'occasion, à laquelle sont souvent incorporées les couleurs du drapeau national. Grâce à la recherche scientifique, tenues et chaussures permettent aux athlètes de donner le meilleur d'eux-mêmes.

Les maillots sans manches permettaient de bouger librement les bras et les épaules.

Le maillot était assez moulant pour ne pas offrir de résistance au vent.

Des rayures de couleurs et de largeurs différentes indiquaient la nationalité de l'athlète.

Les pointes permettent de bien accrocher la piste.

Les shorts courts facilitaient la course.

Le port des chaussettes était une affaire de goût personnel.

Les tissus modernes facilitent l'évaporation de la transpiration.

Cette combinaison extensible moule le corps, diminuant ainsi la résistance au vent.

Les cuisses sont couvertes, ce qui les tient au chaud et réduit les risques de blessures.

A l'heure actuelle, les chaussures de sport font l'objet de recherches scientifiques assez poussées.

LES CHAUSSURES DE SPRINT SPÉCIALISÉES

Les chaussures de sprint moderne sont en matière synthétique ultralégère, alliant souplesse et confort. Elles sont conçues pour soutenir le pied aux endroits voulus et pour absorber les impacts du pied frappant le sol.

Le bout du pied profilé aide le sprinter à courir correctement.

FAITS SUR MESURE

En sport, la sécurité compte beaucoup, la vitesse et le confort aussi. Aujourd'hui, les créateurs consacrent de nombreuses heures à des recherches coûteuses, afin de concevoir de belles tenues, protectrices, confortables, aérodynamiques et susceptibles d'aider les sportifs à accomplir des exploits. Ils profitent des recherches faites dans d'autres domaines et utilisent même des matières mises au point pour l'industrie spatiale. Chaque sport a ses propres exigences. Les améliorations sont très rapides et les athlètes d'aujourd'hui n'endosseraient pour rien au monde les tenues en vogue il y a dix ans.

LE BASE-BALL
Le receveur en chef et l'arbitre ont le torse et la tête protégés au cas où la balle du batteur serait déviée vers eux, car elle peut atteindre 140 km/h.

LES LUNETTES DE NATATION
Celles d'aujourd'hui sont conçues pour adhérer étroitement aux orbites afin de ne pas laisser passer l'eau ni de s'embuer. Les nageurs les portent pour se protéger les yeux du chlore et pour voir plus aisément sous l'eau.

LES COSTUMES DE BAIN
Il y a peut-être un air de famille entre ce maillot des années 1920 et le maillot bleu des années 1990, mais ils sont en réalité très différents. Dans les années 1920, les maillots étaient en coton ; une fois mouillés, ils s'alourdissaient et se détendaient, ce qui ralentissait le nageur. De nos jours, les maillots moulent étroitement le corps et laissent l'eau ruisseler plus aisément, permettant aux nageurs de gagner de précieux centièmes de seconde.

Un masque protège le visage.

Un des deux gants est pourvu d'une membrane entre les doigts, tandis que celui de la main qui tient la crosse est renforcé.

Ces gants déjà anciens n'ont pas les mêmes pouces que ceux d'aujourd'hui, spécialement étudiés pour empêcher le boxeur de blesser son adversaire aux yeux.

On pouvait serrer le maillot autour des cuisses à l'aide d'un laçage.

Maillot de bain des années 1920

Même mouillé, ce textile moule étroitement le corps.

LES GANTS DE BOXE
C'est pour protéger leur adversaire que les boxeurs portent des gants. Les gros gants lourds absorbent en grande partie la force des coups et en élargissent l'impact. Avant le combat, on pèse les gants des deux protagonistes afin de s'assurer qu'ils sont semblables.

LE REMBOURRAGE DU HOCKEYEUR
Le hockey sur glace est le plus rapide des sports d'équipe. Les gardiens de but portent sur les jambes et les bras d'énormes protections bien rembourrées, car le palet peut avancer à plus de 200 km/h. Ils ont aussi des masques qui leur protègent la tête, le cou et la gorge.

Ce costume moderne est taillé dans une matière spécialement étudiée pour offrir une très faible résistance à l'eau.

Les maillots descendent bas sur la cuisse, comme dans les années 1920.

Maillot de bain des années 1990

LA TENUE DE DRESSAGE

Les cavaliers des épreuves de dressage portent une tenue d'apparat et doivent être aussi élégants que leur monture. La tenue traditionnelle comprend une jaquette à pans, un gilet de couleur, un pantalon blanc ou crème avec des gants assortis. Pour l'occasion, les cavaliers délaissent la bombe, portée par sécurité dans les autres épreuves, en faveur du chapeau haut de forme.

Le chapeau haut de forme est plus élégant qu'une bombe.

Cravate blanche, fixée par une épingle de cravate

La culotte extensible permet un meilleur contact avec la monture.

Hautes bottes de cuir

Le casque du skieur Jean-Claude Killy

LE CASQUE DU SKIEUR

Les skieurs peuvent faire des chutes d'une grande violence et leur tête doit être bien protégée. Le casque que portait Killy dans les années 1960 n'était pas aussi efficace que ceux plus légers d'aujourd'hui, qui protègent mieux le crâne et le cou et sont, en outre, plus aérodynamiques, permettant aux skieurs d'avancer plus vite.

Tête de lutteur datant du IIIe siècle

LE BONNET DU LUTTEUR ANTIQUE

Dans l'Antiquité, les lutteurs portaient des bonnets pour empêcher leur adversaire de les empoigner par les cheveux. Aujourd'hui, un tel geste est interdit, mais on peut agripper l'adversaire par son maillot, si bien que les lutteurs portent des tenues moulantes, difficiles à saisir.

LE MASQUE DE L'ESCRIMEUR

Le fondateur des Jeux modernes, Pierre de Coubertin, appréciait l'escrime, mais à l'heure actuelle son masque serait interdit. Les masques modernes sont équipés d'une pellicule transparente qui recouvre le treillis métallique et la tête entière pour plus de sécurité.

Le masque d'escrimeur de Pierre de Coubertin

La lanière se fixe par-dessus l'empeigne de la chaussure.

Ce masque aurait permis à la pointe d'une arme de se faufiler à travers le treillis.

Talon en bois

Les haltérophiles peuvent choisir de porter ou non une ceinture.

LES PETITS PLUS DE L'HALTÉROPHILE

Certains haltérophiles portent une ceinture spéciale qui offre un point de résistance aux muscles abdominaux pendant l'effort. Leurs chaussures sont équipées d'un talon en bois, afin de mieux presser contre le sol, d'une semelle en caoutchouc pour mieux adhérer et d'une forte lanière de soutien par-dessus l'empeigne.

LA ROUE TOURNE

L'équipement des sports de roue a sans doute changé plus que tout autre matériel utilisé pour les jeux Olympiques. Les progrès accomplis dans le domaine des boîtes de vitesses, des pneus, des freins et des matières ultralégères, au cours des vingt dernières années, ont métamorphosé les vélos de course. Ceux-ci sont désormais conçus spécifiquement pour chaque épreuve : piste, route, poursuite et VTT. Les fauteuils roulants de compétition ont aussi bénéficié de ces recherches et, à l'instar des vélos, diffèrent radicalement par leur aspect de ceux qu'on utilise dans la vie de tous les jours.

Un fauteuil de compétition moderne ne pèse guère plus de 8 kg.

On peut fixer la direction de façon à faire le tour de la piste sans quitter son couloir.

Les pneus doivent mesurer 19 mm de large.

L'athlète «frappe» la poignée extérieure pour faire avancer le fauteuil.

LE FAUTEUIL DE COURSE MODERNE
Le fauteuil roulant de compétition a d'abord été un fauteuil droit ordinaire, avant d'être une chaise longue à quatre roues, puis de passer au modèle moderne du « chariot » à trois roues. Avant la course, les juges vérifient chaque fauteuil pour s'assurer que la longueur de l'engin et la taille des roues restent bien dans les normes.

Un guidon trop haut obligeait le coureur à adopter une position plus relevée, offrant trop de résistance à l'air.

Ossature métallique

Les pneus épais adhéraient bien au sol, mais ralentissaient le vélo.

LES ANNÉES 1890
Les bicyclettes utilisées lors des premiers jeux Olympiques n'étaient sans doute pas des plus confortables. Le guidon était à la hauteur de la selle et très proche d'elle, si bien que le coureur devait être tassé sur la roue arrière. L'engin que voici n'a qu'une seule vitesse et pas de freins – tout comme les vélos de piste d'aujourd'hui.

La selle en cuir dur n'était pas confortable.

Guidon surbaissé avec leviers de frein

Les roues étaient équipées d'un mécanisme de déblocage rapide anticipé.

LES ANNÉES 1930
Peu à peu, les bicyclettes deviennent plus aérodynamiques. La barre horizontale et un empattement plus long permettent au cycliste d'adopter une position moins résistante au vent et de rendre le pédalage plus aisé et plus efficace.

Le vélo possédait trois vitesses.

Les cale-pieds maintenaient les pieds du coureur sur les pédales.

LES ANNÉES 1990

Le Britannique Chris Boardman est devenu champion de poursuite individuelle sur 4 000 m aux Jeux de Barcelone en 1992. Son vélo en fibre de carbone, avec des pièces en titane et en aluminium, était incroyablement léger. Le profil révolutionnaire que laisse voir cette réplique de l'engin a fait l'objet de controverses mais, comme la chaîne se trouvait à l'extérieur du châssis, il était néanmoins conforme aux règlements. Les poursuiteurs doivent avancer le plus vite possible pour essayer de rattraper l'adversaire parti de l'autre côté de la piste. En finale, Boardman a rattrapé son adversaire à un tour de la fin, exploit unique dans les annales.

Un châssis d'un seul tenant est plus aérodynamique qu'un assemblage de plusieurs tubes.

Boardman appuyait ses coudes sur ce guidon allongé.

Le châssis a été construit sur mesure pour le cycliste.

Cette roue avant à trois rayons risque moins de se comporter comme une voile qu'une roue pleine.

Le vélo n'a qu'une seule vitesse.

LOTUS Sport

MAVIC

Le tube incliné sous la selle place le coureur plus loin au-dessus du plateau, ce qui accroît l'efficacité du pédalage.

Les roues pleines sont plus solides et plus aérodynamiques que les roues à rayons.

Les coureurs sont couchés sur leur guidon afin de réduire la résistance au vent.

Leviers de changement de vitesses

LES ANNÉES 1980

Ce vélo en aluminium a été utilisé par l'équipe italienne victorieuse des 100 km sur route contre la montre en 1984. Les vélos réservés aux épreuves contre la montre doivent être aérodynamiques et légers. Les membres de l'équipe courent en formation serrée dans le sillage du meneur qui retombe en dernière position toutes les quelques secondes, laissant à un autre équipier le soin de mener.

Pédalier

La roue avant de petite taille réduit la résistance au vent, pèse moins lourd qu'une grande roue et exige un châssis plus petit, ce qui diminue d'autant le poids total de l'engin.

ENER·D.M.

L'ÉVOLUTION DU MATÉRIEL D'HIVER

Le matériel utilisé lors des premiers Jeux d'hiver à Chamonix, en 1924, n'a presque rien de commun avec celui dont on se sert à l'aube du XXIe siècle. Des matières synthétiques, solides et légères, comme la fibre de verre, ont été mises au point pour remplacer le bois et le fer. Les patins en cuir sont devenus plus souples et plus confortables, sans rien perdre de leur maintien. Les sports d'hiver peuvent être dangereux et le matériel est actuellement conçu afin d'améliorer la sécurité tout autant que la vitesse. Les skieurs, les patineurs et les coureurs de bobsleigh vont infiniment plus vite que leurs aînés, mais ils risquent pourtant beaucoup moins de se blesser ou même de se tuer.

LA PREMIÈRE MÉDAILLE
La médaille du 500 m en patinage de vitesse fut la première médaille attribuée pour la première fois aux Jeux d'hiver de 1924. La lame de ce patin de l'époque est recourbée à l'avant, détail supprimé sur les modèles plus récents.

La longue lame à un seul tranchant aidait le patineur à démarrer très vite et à maintenir sa vitesse.

SURÉLEVÉ
Le patinage de vitesse se déroule sur une piste ovale. Les deux patineurs doivent changer de couloir dans la deuxième ligne droite de chaque tour afin de s'assurer qu'ils couvriront l'un et l'autre la distance voulue. Le soulier de ce patin de vitesse assez ancien est surélevé au-dessus de la lame. Cela permettait au patineur de se pencher vers l'intérieur dans les virages.

Le soulier est attaché à la lame par une fixation de cuir et de métal.

La chaussure est fixée à la lame par des arcs-boutants métalliques.

LE PATINAGE DE VITESSE

Le patinage de vitesse traditionnel est un sport gracieux, qui exige à la fois souplesse et puissance. Les patineurs courent contre la montre à des vitesses avoisinant parfois les 56 km/h. Le patinage sur piste courte est plus agressif car les concurrents s'affrontent directement.

LE PATIN DE VITESSE POUR PISTE COURTE
Ce patin de vitesse a été utilisé en 1988 à Calgary, où le patin sur piste courte était sport de démonstration. La première compétition olympique officielle a eu lieu en 1992, à Albertville, en France.

Ce soulier est équipé d'attaches en Velcro.

Ancien ski en bois

Ski en fibre de verre datant d'avant 1950

LE PATINEUR DE VITESSE
Il fonce toujours dans la même direction autour d'une piste. Il n'a pas de mouvements spéciaux à exécuter.

Lame d'acier

Ce traîneau est en bois.

Pour réduire la résistance au vent, l'équipage garde la tête au-dessous des parois du bob.

LE BOBSLEIGH D'ANTAN
Les bobsleighs ont été inventés dans les années 1880, lorsqu'on eut l'idée d'attacher deux luges ensemble. La première compétition olympique de bob à quatre a eu lieu en 1924. Le bob à deux a commencé en 1932.

LE BOBSLEIGH
Le sport offre peu d'événements aussi spectaculaires qu'un bobsleigh lancé à pleine vitesse. Les premiers bobs étaient ouverts et le conducteur dirigeait l'engin à l'aide d'un volant situé à l'avant. De nos jours l'équipage est mieux protégé à l'intérieur de son bob.

LE BOBSLEIGH MODERNE
Aujourd'hui, les bobs foncent parfois à près de 150 km/h. Réalisés en fibre de carbone, ils sont légers et aérodynamiques. Le bob à deux ne doit pas dépasser 2,70 m de long et 390 kg, équipage compris. Pour le bob à quatre, les limites autorisées sont 3,80 m et 630 kg.

LE PATINAGE ARTISTIQUE
Les lames des patins sont légèrement creusées au milieu de façon à posséder une carre (ou bord) intérieure et une carre extérieure. Elles sont légèrement recourbées afin de permettre au patineur de transférer le poids du corps vers l'avant ou vers l'arrière. Tous les mouvements exécutés par les patineurs de compétition reposent sur ces quatre carres.

TOUJOURS PLUS HAUT
La haute tige de ce patin des années 1950 soutenait la cheville du patineur artistique, mais limitait sa souplesse. C'est aux Jeux de 1952 que l'Américain Dick Button fit admirer aux foules son nouveau saut – la triple boucle –, aujourd'hui exécuté par tous les patineurs et patineuses de compétition.

Tige en cuir

Ski en fibre de verre antérieur à 1980

Ski en fibre de verre des années 1990

Ski en fibre de verre des années 1990

LES SKIS À TRAVERS LES ÂGES
Les fixations qui attachent les skis aux chaussures ont bien changé depuis les premières épreuves olympiques de ski alpin en 1936 : les skis étaient alors en bois et munis de lanières en cuir que l'on fixait autour des chaussures. Aujourd'hui, les skis en fibre de verre ont des fixations de sécurité qui libèrent automatiquement la chaussure en cas de chute.

LA PATINEUSE ARTISTIQUE

Les lames sont conçues afin de permettre à la patineuse d'exécuter des courbes, des virages, des sauts et des pirouettes. Les patineurs répartissent leur poids pour utiliser l'une ou l'autre carre.

La petite section dentée, qu'on appelle dents de scie, est utilisée pour les sauts et les arrêts piqués.

LES ANNÉES 1990
Les patins à glace modernes sont beaucoup plus confortables que ceux d'antan. Ce patin des années 1990 est près de sept fois plus léger que celui des années 1950. De nos jours le cuir est souvent teint d'une couleur assortie à celle du costume.

AVOIR CHAUSSURE À SON PIED

Une paire de chaussures bien adaptées est l'un des articles les plus importants du matériel sportif. Les chaussures protègent les pieds, mais elles peuvent aussi réduire les efforts imposés aux chevilles et aux genoux. Aujourd'hui, les athlètes olympiques savent qu'en choisissant celles qui leur conviennent, ils diminuent les risques de blessures et augmentent leurs chances d'améliorer leurs performances. De nos jours, grâce aux efforts de la recherche, on ne cesse de découvrir de nouvelles matières et de nouvelles formes. Le coût de la chaussure s'en ressent, mais le sport olympique est par essence onéreux.

LES CHAUSSURES DE SPORT

Pour courir vite, s'arrêter brusquement ou frapper dans un ballon du pied, les sportifs exigent différentes choses de leurs souliers. Les conditions extérieures en influencent aussi la conception. Ainsi, des chaussures de basket ne seraient pas efficaces sur un terrain de football boueux et des chaussures à crampons seraient dangereuses sur un court de tennis en terre battue.

Les perforations laissent circuler l'air et la chaleur, contribuant à maintenir le pied au frais.

CHAUSSURE DE TENNIS
Les joueurs de tennis ont besoin de chaussures adhérant bien au sol, car ils doivent pouvoir s'arrêter et changer de direction très brusquement. Les coussins intégrés à la semelle protègent le pied des chocs constants subis lorsqu'on court sur une surface dure.

CHAUSSURE DE FOOTBALL
Le joueur de football a besoin de sentir le ballon à travers ses chaussures et d'avoir les chevilles bien maintenues. Les meilleures chaussures sont donc en cuir souple et conçues pour permettre aux joueurs d'utiliser aussi bien l'intérieur que l'extérieur du pied lorsqu'ils frappent le ballon. Les crampons peuvent être changés selon l'état du terrain.

Les semelles sont antidérapantes afin d'empêcher l'athlète de glisser.

CHAUSSURE D'ATHLÉTISME (CI-DESSUS)
En course, chaque foulée nécessite trois fois plus de force que pendant la marche. Les chaussures d'athlétisme ont dans la semelle intérieure des dispositifs à air comprimé pour absorber les chocs, afin de réduire les risques de blessures. Les conditions extérieures peuvent endommager ces dispositifs, si bien que ces chaussures sont vendues avec une date de péremption.

CHAUSSURE DE LANCEUR DE JAVELOT (À GAUCHE)
Les lanceurs de javelot portent des chaussures différentes aux deux pieds, selon leur pied d'appui. Juste avant de propulser son engin, le lanceur retombe lourdement sur un de ses talons, puis il doit s'arrêter très vite pour ne pas sortir des limites. Ses chaussures sont solides, elles soutiennent bien la cheville et sont renforcées à la pointe.

CHAUSSURE DE BASKET-BALL

Voici de quoi se compose une chaussure de basket moderne, dont chaque morceau est soigneusement conçu pour fournir le confort et le soutien voulus aux différentes parties du pied. Les trois éléments principaux de la chaussure sont l'empeigne, la semelle intérieure et la semelle extérieure.

Armature souple pour la tige qui monte sur la cheville

La talon montant et capitonné offre une protection totale à l'arrière du pied.

La tige montante stabilise la cheville.

JOUER LE JEU
Les joueurs de basket doivent sprinter, s'arrêter brusquement, pivoter et bien entendu sauter. Le match ci-contre opposait les Etats-Unis à la Lituanie aux Jeux d'Atlanta de 1996. Les Lituaniens, en blanc, ont remporté la médaille de bronze, alors que les Américains ont décroché l'or, comme on s'y attendait.

PROTECTION DU TALON ET DE LA CHEVILLE
Le basket met à rude épreuve les pieds et les jambes, surtout l'articulation de la cheville. Le talon et la cheville d'une chaussure de basket doivent donc fournir soutien et protection. La chaussure doit s'adapter parfaitement au talon, afin d'éviter les ampoules et, bien entendu, les blessures plus sérieuses.

La languette remonte le long du tibia pour donner un meilleur soutien.

Un capitonnage souple et confortable

On peut se servir de la boucle pour enfiler la chaussure plus facilement.

Des bandes élastiques sont cousues à l'intérieur de la chaussure.

Œillets pour les lacets

L'EMPEIGNE
La partie supérieure de la chaussure, ou empeigne, couvre le dessus du pied et les deux côtés jusqu'à la cheville. Elle est en matière synthétique ultralégère qui permet au pied de respirer à l'intérieur de la chaussure.

L'ASSEMBLAGE
On a passé de nombreuses années à tester et à mettre au point cette chaussure avant d'en lancer la production. Chaque partie a été étudiée par des spécialistes avec l'aide des plus grands joueurs professionnels. Lorsqu'on assemble tous les morceaux, on obtient une chaussure de basket haut de gamme, ultralégère, qui concilie à la fois maintien et liberté de mouvement – et qui, en plus, est belle à regarder.

Semelle interne

Capsule de liquide visible à travers une «fenêtre» dans la semelle

Stabilisateur de talon contenant un coussin liquide

Doublure en tissu léger

La semelle interne est renforcée pour assurer la stabilité.

La semelle interne est façonnée afin de s'adapter aux contours du pied.

La capsule qui contient le liquide spécial fournit un coussin stabilisateur sous le talon et la pointe du pied.

La capsule s'insère dans un creux de la semelle interne.

Semelle externe en caoutchouc

SEMELLE EXTERNE
Le basket-ball est un sport d'intérieur qui se joue sur un court en bois très lisse. Le revêtement de caoutchouc sous la chaussure assure l'adhérence nécessaire pour éviter aux joueurs de glisser quand ils s'arrêtent et pivotent brusquement.

AU MILLIÈME DE SECONDE

Il vous faudra plus de temps pour lire ce texte qu'il n'en faut aux vainqueurs du 100 m messieurs et dames des finales olympiques pour faire leur course. Les hommes couvrent à présent cette distance en moins de dix secondes. L'amélioration de la technique et de la forme physique des athlètes les a aidés à battre les records, mais la technologie aussi a joué son rôle, avec la mise au point de revêtements de piste synthétiques, de tenues aérodynamiques et de chaussures modernes. Les méthodes utilisées pour donner le départ et chronométrer les épreuves ont dû suivre tous ces progrès et les systèmes électroniques actuels facilitent la tâche aussi bien aux champions qu'aux officiels en assurant le maximum d'équité dans chaque course.

LE DÉPART

Il doit être équitable. Les concurrents des couloirs extérieurs étaient désavantagés car le bruit de la détonation les atteignait avec un léger décalage par rapport aux athlètes des couloirs intérieurs. Les systèmes électroniques actuels ont éliminé ce problème.

LE DÉPART À L'ANCIENNE
Voici les plots de départ en marbre utilisés lors des jeux Pythiques de Delphes au Vᵉ siècle av. J.-C. Les coureurs grecs de l'Antiquité partaient debout, les bras tendus en avant. De leurs orteils nus, ils se cramponnaient fermement aux encoches creusées dans les plots.

1936, LE PISTOLET DU STARTER
Les pistolets d'antan tiraient de vrais coups, même s'ils étaient chargés à blanc. Un chien percutait une charge de poudre à l'intérieur de l'arme et celle-ci produisait une détonation en prenant feu. Un petit plumet de fumée sortait du pistolet, comme s'il avait vraiment envoyé un projectile.

Le pistolet moderne ne fait aucun bruit.

LE PISTOLET ÉLECTRONIQUE
Pour donner le départ des courses de sprint, on utilise désormais un pistolet électronique. Quand le starter appuie sur la détente, un signal est transmis au générateur sonore, lequel produit un son et le transmet par câble à un amplificateur inséré à l'arrière de chaque starting-block. Ainsi, on peut être sûr que tous les athlètes l'entendront au même moment.

LES STARTING-BLOCKS
Les starting-blocks électroniques ont été introduits dans les années 1980. La pression exercée sur eux par les athlètes est mesurée et transmise au starter. Le système le plus perfectionné contrôle chaque coureur individuellement, en tenant compte de son poids, de son sexe et de son expérience. Il est capable de déceler la différence entre un mouvement involontaire et un authentique faux départ.

RECORDS DU 100 M
Depuis 1896, le temps du vainqueur de la finale masculine du 100 m a progressé de plus de deux secondes. La première finale féminine a eu lieu en 1928 et le temps a progressé dans une mesure légèrement moindre.

Jusqu'en 1968, les pistes olympiques étaient des cendrées. | *Les athlètes utilisaient une truelle pour creuser un trou dans la piste derrière la ligne de départ.*

ON SE PRÉPARE À DISPUTER LE 100 M EN 1928
Les starting-blocks tels que nous les connaissons n'ont été autorisés qu'à partir de 1938, si bien qu'il a fallu attendre les Jeux de 1948 pour les voir apparaître. Avant cela, les sprinters creusaient des trous dans la piste, afin de pouvoir exercer une poussée au départ de la course.

	1896	1900	1908	1924	1928	1932
Hommes	T. Burke (Etats-Unis) 12.0	F. Jarvis (Etats-Unis) 11.0	R. Walker (Afr. du Sud) 10.8	H. Abrahams (G.-B.) 10.6	P. Williams (Canada) 10.8	E. Tolan (Etats-Unis) 10.38
Femmes	-	-	-	-	E. Robinson (Etats-Unis) 12.2	S. Walasiewicz (Pol.) 11.9

LE CHRONOMÈTRE

Dans la première moitié du XXᵉ siècle, le temps des athlètes était chronométré. L'instrument que voici possède trois cadrans fixés à l'extérieur de la boîte. Ils indiquent les heures, les minutes et les secondes.

L'arrivée du 100 m à Tokyo en 1964

La boîte en bois contient le mécanisme du chronomètre.

ARRIVÉE DU 100 M EN 1964

Cette année-là, un système de chronométrage électronique à quartz fut utilisé pour la première fois aux jeux Olympiques. Il mesurait le temps avec plus d'exactitude que tout ce qu'on avait utilisé jusque-là et déboucha sur le lancement des premières montres à quartz en 1969. De nombreux juges se tenaient à la hauteur de la ligne d'arrivée, chacun avec son chronomètre.

Le chronomètre sportif à quartz utilisé en 1964

L'ARRIVÉE

Les athlètes et les spectateurs ne sont plus obligés d'attendre durant d'insupportables secondes pour savoir qui reçoit les médailles. La technologie moderne leur indique le résultat presque instantanément. Les athlètes sont désormais chronométrés au millième de seconde.

LES JUGES ET L'ORDINATEUR

Avec le système du photo-finish par bande vidéo, l'image des athlètes franchissant la ligne est immédiatement présentée aux juges sur des écrans de contrôle. Ils déplacent un curseur devant le torse de chaque coureur et lisent le temps sur une échelle affichée en bas de l'image en couleurs ce qui leur facilitent encore la tâche.

L'ARRIVÉE SUR BANDE VIDÉO

Grâce à un nouveau système de bande vidéo les juges peuvent désormais identifier plus aisément qu'ils ne l'ont jamais fait le vainqueur du 100 m. Ce système balaie jusqu'à 2 000 fois par seconde une ligne très fine superposée à la ligne d'arrivée, formant ainsi une image parfaitement claire des athlètes franchissant la ligne.

1936	1948	1960	1968	1976	1984	1992	1996
J. Owens (Etats-Unis) 10.3	H. Dillard (Etats-Unis) 10.3	A Hary (RDA) 10.32	J. Hines (Etats-Unis) 9.95	H Crawford (Trinité-et-Tobago) 10.06	C Lewis (Etats-Unis) 9.99	L. Christie (G.-B.) 9.96	D. Bailey (Etats-Unis) 9.84
H. Stephens (Etats-Unis) 11.5	F. Blankers-Koen (Pays-Bas) 11.9	W. Rudolph (Etats-Unis) 11.18	W. Tyus (Etats-Unis) 11.08	A. Richter (RFA) 11.08	E. Ashford (Etats-Unis) 10.97	G. Devers (Etats-Unis) 10.82	G. Devers (Etats-Unis) 10.94

51

LES TROUBLE-FÊTE

Les jeux Olympiques sont un événement médiatique de premier plan et ils attirent des millions de spectateurs dans tous les pays. Ils offrent donc à ceux qui le désirent une occasion idéale pour faire connaître leurs revendications et leurs griefs au monde entier. Rares sont les Jeux d'été qui n'ont pas été affectés par la politique nationale ou internationale et, dans la plupart des cas, ce sont les athlètes qui en ont fait les frais. Chaque fois ou presque, le gouvernement d'au moins un pays a retiré son équipe de la compétition. D'autres États ont été exclus par les organisateurs. Quant aux Jeux de 1916, 1940 et 1944, ils n'ont pas eu lieu du tout à cause de la guerre.

La croix gammée avait été choisie comme emblème par le parti nazi.

Médaille commémorative

LE JAPON PAYS ORGANISATEUR
Il fallut près de vingt ans au Japon pour être complètement réintégré au sein du mouvement olympique après la Seconde Guerre mondiale. En choisissant Tokyo pour accueillir les Jeux de 1964, le CIO indiqua que l'ostracisme avait, à son avis, assez duré, mais beaucoup de ceux qui se rappelaient la guerre eurent du mal à accepter cette décision.

EN SIGNE DE SOUTIEN
Aux Jeux de 1968, deux Américains, Tommie Smith et John Carlos, arrivèrent premier et troisième du 200 m. Lors de la cérémonie de remise des médailles, ils manifestèrent leur soutien à la campagne que menait le mouvement des Panthères noires en faveur de l'égalité raciale dans leur pays en levant un poing ganté de noir pendant que retentissait l'hymne américain. Ils furent expulsés du village olympique.

LA PROPAGANDE NAZIE
Les Jeux de 1936 eurent lieu à Berlin, en Allemagne. Adolf Hitler les transforma en exercice de propagande pour les doctrines nazies. Il espérait voir des athlètes aryens blonds, la peau bien blanche et les yeux bleus, rafler toutes les médailles, mais la plupart des victoires en athlétisme revinrent aux Noirs américains. La guerre éclata en 1939 et ce ne fut qu'en 1948 que les jeux Olympiques purent être de nouveau organisés.

LA GRANDE GUERRE
Les Jeux de 1916 devaient avoir lieu à Berlin, en Allemagne mais, lorsque la guerre éclata en 1914, il fallut les annuler. Après la Première Guerre mondiale, les Jeux se tinrent à Anvers, en Belgique, en 1920. L'Allemagne, l'Autriche, la Hongrie et la Turquie ne furent pas invitées, en raison du rôle qu'elles avaient joué pendant la guerre. Dix-huit mois à peine avant le début des Jeux, Anvers était encore occupée par les troupes ennemies, mais le comité d'organisation parvint néanmoins à organiser les Jeux de façon satisfaisante, accueillant un nombre record de pays et de concurrents.

Les armées hitlériennes envahirent la Pologne le 1er septembre 1939, incitant la Grande-Bretagne et la France à déclarer la guerre à l'Allemagne.

Les armes de la ville d'Anvers

Soldat de plomb allemand de 1936

Très souvent des athlètes de la Grèce antique figuraient sur les affiches des jeux Olympiques.

VIIe OLYMPIADE
ANVERS (BELGIQUE)
AOÛT-SEPTEMBRE 1920

Affiche annonçant les Jeux d'Anvers

Les terroristes palestiniens firent sauter un hélicoptère de la police allemande.

MUNICH, 1972

Le 5 septembre 1972, des terroristes palestiniens firent irruption dans le village olympique de Munich, abattirent deux athlètes israéliens et en prirent neuf autres en otage. Ils réclamèrent un hélicoptère afin de pouvoir quitter les lieux avec leurs otages, mais la mission mise en place pour secourir ceux-ci tourna au désastre : les neuf otages, deux policiers et cinq des terroristes périrent lors d'une fusillade sur un terrain d'aviation voisin.

L'OUGANDA INTERDIT DE JEUX

L'Ouganda fut exclu des Jeux de Montréal de 1976, car son chef d'Etat, Idi Amin Dada, foulait aux pieds les droits de l'homme. Il aurait fait éliminer, selon les estimations, quelque 100 000 personnes, dont plusieurs nageurs qui l'avaient battu lors de courses organisées dans la piscine de son palais.

Amin Dada s'était décerné toutes sortes de médailles.

Le général Idi Amin Dada

Amin Dada établit un régime de terreur sur l'Ouganda de 1971 à 1979.

LES BOYCOTTS

En décembre 1979, l'Union soviétique envahit l'Afghanistan. Pour protester contre cette agression, les Etats-Unis prirent la tête du boycott des jeux Olympiques d'été, organisés à Moscou en 1980. Dans les années 1970 et 1980, les Jeux furent plusieurs fois affectés par de tels mouvements. Des gouvernements interdirent à leurs athlètes de participer, afin de protester contre les agissements politiques, militaires ou sportifs d'autres nations invitées aux Jeux.

LE RETOUR DE L'AFRIQUE DU SUD

A Barcelone, en 1992, les athlètes d'Afrique du Sud reparurent aux jeux Olympiques dont ils étaient exclus depuis vingt-cinq ans parce que leur pays vivait sous le régime de l'apartheid qui refusait aux citoyens noirs des droits égaux à ceux des blancs. L'Afrique du Sud fut de nouveau invitée à participer après que Nelson Mandela, prisonnier politique, eut été libéré, ce qui marqua la fin progressive de l'apartheid.

L'ÉQUIPE UNIFIÉE

Après le démantèlement de l'Union soviétique, au début des années 1990, certains des Etats qui la composaient s'inscrivirent individuellement aux Jeux de 1992. Les athlètes des autres Républiques soviétiques, réunies alors en une Communauté d'Etats indépendants, participèrent aux Jeux au sein d'une équipe unifiée et défilèrent derrière le drapeau olympique. Cette équipe se classa seconde dans la course aux médailles pour les Jeux d'hiver et première pour les Jeux d'été.

Pin's souvenir de Barcelone en 1992

DANS LES COULISSES DES JEUX

Le 23 septembre 1993, Juan Antonio Samaranch, président du CIO, annonça que la ville de Sydney avait été choisie pour organiser les vingt-septièmes jeux Olympiques. L'organisation des Jeux est une entreprise colossale : outre la compétition proprement dite, le comité d'organisation doit prévoir le transport, l'hébergement et la sécurité de milliers de personnes. Plus de 10 000 concurrents et de 5 000 accompagnateurs, venant de 200 pays, assistent aux Jeux. On évalue à environ 15 000 le nombre de journalistes qui viennent couvrir l'événement. La ville organisatrice doit aussi se préparer à l'affluence des dizaines de milliers de spectateurs du monde entier. Tout cela coûte cher et, depuis 1984, le mouvement olympique a autorisé les villes organisatrices à éponger leurs frais grâce à la publicité et au sponsoring.

LA CANDIDATURE VICTORIEUSE
La délégation australienne manifesta sa joie quand le CIO confia l'organisation des Jeux de l'an 2000 à Sydney. Chaque candidature de ville est étudiée par les membres du CIO, sept ans avant la date prévue pour les Jeux. Puis ils votent. La ville victorieuse réunit plus de la moitié des voix.

LES LIEUX DE LA FÊTE
Le projet olympique de Sydney prévoit la construction ou l'amélioration de quatre installations sportives de classe mondiale, ayant pour base quatre enceintes olympiques dont le Sydney Olympic Park que l'on voit ici en cours de construction. Il est crucial d'assurer des transports adéquats. Les trains et les autobus véhiculeront près de 80 000 spectateurs à l'heure vers de nouveaux terminus situés à quelques pas des grands événements sportifs.

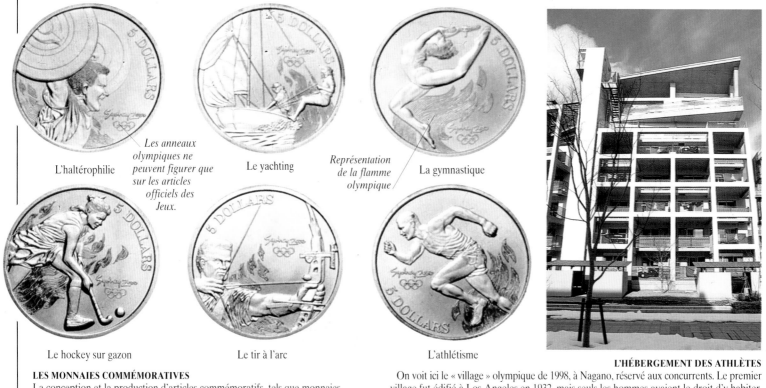

L'haltérophilie

Les anneaux olympiques ne peuvent figurer que sur les articles officiels des Jeux.

Le yachting

Représentation de la flamme olympique

La gymnastique

Le hockey sur gazon

Le tir à l'arc

L'athlétisme

L'HÉBERGEMENT DES ATHLÈTES

LES MONNAIES COMMÉMORATIVES
La conception et la production d'articles commémoratifs, tels que monnaies, médailles et badges, doivent être organisées longtemps à l'avance. Ces six pièces font partie d'une série de monnaies frappées pour célébrer les Jeux de Sydney. Chacune représente un sport différent. Dans quelques années, elles auront peut-être pris beaucoup de valeur en tant que pièces de collection.

On voit ici le « village » olympique de 1998, à Nagano, réservé aux concurrents. Le premier village fut édifié à Los Angeles en 1932, mais seuls les hommes avaient le droit d'y habiter.
En l'an 2000, pour la première fois de l'histoire olympique, tous les athlètes seront logés ensemble dans le même village. Après les Jeux, l'endroit sera reconverti pour accueillir les 7 000 concurrents et accompagnateurs des jeux Paralympiques. On construira de nouvelles rampes pour les fauteuils roulants et on ajoutera des panneaux de signalisation en braille.

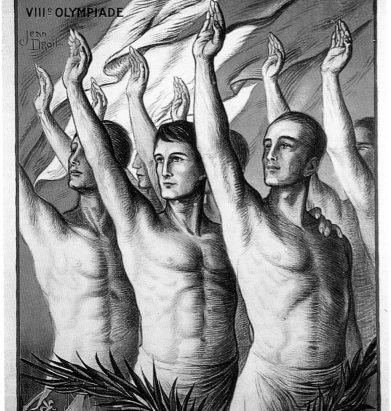

PARIS 1924

VIIIᵉ OLYMPIADE

JEUX OLYMPIQUES

Affiche pour
les Jeux de
Paris, 1924

LES CÉRÉMONIES

Après chaque finale, les concurrents ayant terminé aux trois premières places reçoivent leurs médailles au cours d'une cérémonie spéciale, mise au point par le comité d'organisation qui doit veiller en outre à prévoir un nombre suffisant de médailles. Les drapeaux et les hymnes nationaux de tous les pays en compétition doivent être disponibles.

La parabole répercute les signaux radio d'un endroit à un autre.

Les sept satellites d'Intelsat proposent simultanément jusqu'à 90 000 canaux audio et trois retransmissions télévisées.

LE TRAVAIL DES MÉDIAS

Les jeux Olympiques mobilisent plus de 3,5 milliards de spectateurs de par le monde. Grâce aux satellites envoyés dans l'espace, toutes les épreuves peuvent être filmées et diffusées en direct dans le monde entier. Les articles et les photographies de la presse écrite sont désormais transmis sur Internet ou par fax.

DE LA PUBLICITÉ POUR LES JEUX

Aujourd'hui, il n'est sans doute pas nécessaire de faire de la réclame pour les jeux Olympiques, mais les comités d'organisation disposent néanmoins d'un budget publicitaire. Une affiche au moins a été créée pour chacun des Jeux qui ont eu lieu depuis 1896 et, bien souvent, la même illustration a été reprise pour le programme officiel.

Badge des Jeux
de 1912

On offre parfois un badge à tous les bénévoles qui ont contribué au bon déroulement des Jeux.

Olympiska Spelen
Stockholm 1912

LE COMITÉ INTERNATIONAL OLYMPIQUE

Le CIO est composé de membres siégeant au Comité olympique de leur propre pays. Le président du CIO est l'une des personnalités les plus importantes du monde du sport. Avery Brundage (à gauche) était président du CIO en 1972, lorsque des terroristes attaquèrent le village olympique à Munich. Après la tragédie, il prononça un discours annonçant que les Jeux se poursuivraient après un arrêt de vingt-quatre heures.

LE BON EXEMPLE

Les Jeux de Stockholm, en 1912, figurent parmi les mieux organisés de l'histoire et ils ont donné le bon exemple à tous ceux qui allaient reprendre le flambeau. Le comité d'organisation dressa une liste exhaustive de toutes les épreuves, fit subir une formation rigoureuse à tous les officiels et introduisit le chronométrage électrique et un système de sonorisation pour informer le public.

LE STADE, CŒUR DES JEUX

Le cœur de tout site accueillant les Jeux est le stade olympique. Il est le cadre des cérémonies d'ouverture et de clôture, ainsi que des épreuves d'athlétisme et de l'arrivée du marathon. Les architectes tiennent compte de nombreux paramètres pour bâtir le nouveau stade. Il doit pouvoir accueillir plus de 100 000 spectateurs en même temps, auxquels s'ajoutent des milliers de journalistes, d'athlètes, d'accompagnateurs et d'officiels. Il faut donc assurer la sécurité, la circulation, le confort et le bon fonctionnement des services aux quatre coins du stade. Les architectes utilisent des ordinateurs afin de résoudre les éventuels problèmes. L'informatique donne même une image virtuelle de ce qu'on verra depuis les différents sièges avant même que le stade ne soit bâti.

Une solide armature soutient le toit.

Sous l'arche principale on pourrait garer quatre jumbo-jets côte à côte.

LE TUNNEL DES JOUEURS

Quelle expérience unique pour un athlète que de pénétrer dans le stade olympique ! Les athlètes grecs de l'Antiquité la vivaient déjà lorsqu'ils s'engageaient dans ce tunnel pour déboucher au centre du stade d'Olympie. Le tunnel mesurait 32 m de long.

LE STADE DE MUNICH

Les jeux Olympiques offrent aux villes organisatrices un prétexte rêvé pour s'offrir de magnifiques nouveaux stades. Le stade olympique de Munich a été construit pour les Jeux de 1972. Il peut accueillir 80 000 spectateurs. Deux ans après les Jeux, s'y est déroulée la finale de la Coupe du monde de football.

Les places des tribunes inférieures pourront être déplacées pour former un rectangle autour d'un terrain de rugby, par exemple.

Après les Jeux, un toit en polycarbonate permettra d'abriter 60 000 places assises.

APRÈS LES JEUX

Le stade olympique de Sydney est déjà utilisé pour les matchs de rugby. Après les Jeux, deux tribunes temporaires au nord et au sud seront supprimées ce qui réduira le nombre de places de 30 000 unités. Cette maquette permet de voir à quoi ressemblera le stade.

►N

Plan des tribunes pour le stade olympique de Sydney

La finale du tournoi de football des Jeux se déroulera sur le terrain situé à l'intérieur de la piste.

La piste d'athlétisme est plus basse que le premier rang de sièges.

Il a fallu 18 000 camions pour livrer la quantité de béton nécessaire à la superstructure du stade.

Les athlètes pénètrent dans l'arène le long d'un passage ménagé entre les tribunes.

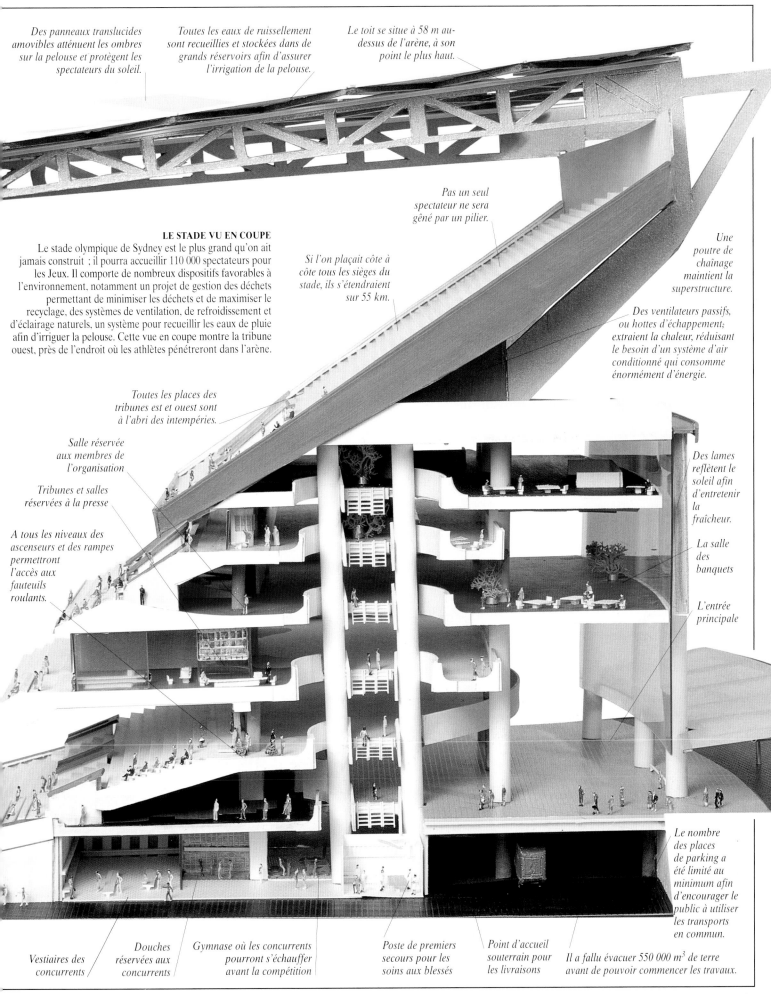

Des panneaux translucides amovibles atténuent les ombres sur la pelouse et protègent les spectateurs du soleil.

Toutes les eaux de ruissellement sont recueillies et stockées dans de grands réservoirs afin d'assurer l'irrigation de la pelouse.

Le toit se situe à 58 m au-dessus de l'arène, à son point le plus haut.

Pas un seul spectateur ne sera gêné par un pilier.

Une poutre de chaînage maintient la superstructure.

LE STADE VU EN COUPE

Le stade olympique de Sydney est le plus grand qu'on ait jamais construit ; il pourra accueillir 110 000 spectateurs pour les Jeux. Il comporte de nombreux dispositifs favorables à l'environnement, notamment un projet de gestion des déchets permettant de minimiser les déchets et de maximiser le recyclage, des systèmes de ventilation, de refroidissement et d'éclairage naturels, un système pour recueillir les eaux de pluie afin d'irriguer la pelouse. Cette vue en coupe montre la tribune ouest, près de l'endroit où les athlètes pénétreront dans l'arène.

Si l'on plaçait côte à côte tous les sièges du stade, ils s'étendraient sur 55 km.

Des ventilateurs passifs, ou hottes d'échappement, extraient la chaleur, réduisant le besoin d'un système d'air conditionné qui consomme énormément d'énergie.

Toutes les places des tribunes est et ouest sont à l'abri des intempéries.

Salle réservée aux membres de l'organisation

Tribunes et salles réservées à la presse

A tous les niveaux des ascenseurs et des rampes permettront l'accès aux fauteuils roulants.

Des lames reflètent le soleil afin d'entretenir la fraîcheur.

La salle des banquets

L'entrée principale

Le nombre des places de parking a été limité au minimum afin d'encourager le public à utiliser les transports en commun.

Vestiaires des concurrents

Douches réservées aux concurrents

Gymnase où les concurrents pourront s'échauffer avant la compétition

Poste de premiers secours pour les soins aux blessés

Point d'accueil souterrain pour les livraisons

Il a fallu évacuer 550 000 m^3 de terre avant de pouvoir commencer les travaux.

57

L'AVENIR DE L'OLYMPISME

Il est bien difficile de prévoir l'avenir des jeux Olympiques. On connaît sept ans à l'avance les villes qui les accueilleront, mais bien malin qui saurait dire quels athlètes y prendront part et qui remportera les médailles. Maintenant que les Jeux d'hiver et d'été n'ont plus lieu la même année, les amateurs de sport n'ont pas besoin d'attendre plus de deux ans avant de découvrir de nouveaux héros. Des millions de téléspectateurs à travers le monde suivent le déroulement des compétitions. Il y aura des triomphes et des désastres, des controverses et des records. Quoi qu'il arrive, les athlètes se rappelleront que « l'important n'est pas de gagner, mais de participer ».

MICHAEL JOHNSON
A Atlanta en 1996, Michael Johnson a remporté le 200 et le 400 m. Depuis, il a su rester en forme et il devrait avoir de grandes chances de gagner au moins une de ces deux épreuves, sinon les deux, à Sydney. Bien que son style très particulier ne soit pas recommandé par les entraîneurs, ses succès prouvent bien qu'il n'y a pas une seule façon correcte de courir.

Les athlètes doivent savoir se concentrer sur la course à venir.

Les muscles du bras et de l'épaule permettent d'actionner les bras.

Dans les courses de sprint, un bon départ est crucial.

Il y aura vingt-huit disciplines aux Jeux d'été de l'an 2000 à Sydney :

ATHLÉTISME	JUDO
AVIRON	LUTTE
	gréco-romaine
BADMINTON	libre
BASE-BALL	PENTATHLON MODERNE
BASKET-BALL	SOFTBALL
BOXE	SPORTS AQUATIQUES
CANOË - KAYAK	plongeon
sprint	natation
slalom	natation synchronisée
	water-polo
CYCLISME	
piste	SPORTS ÉQUESTRES
route	concours complet
VTT	dressage
	saut d'obstacles
ESCRIME	
FOOTBALL	
GYMNASTIQUE	
artistique	
rythmique et	
sportive	
trampoline	
HALTÉROPHILIE	
HANDBALL	
HOCKEY SUR GAZON	

LES VILLES OLYMPIQUES DE L'AVENIR
Les comités d'organisation passent des années à préparer la candidature de leur ville. Le CIO s'efforce de répartir les Jeux sur les cinq continents, aussi ne les attribue-t-il jamais deux fois de suite au même pays. Depuis 1992, l'Amérique du Nord, l'Australie et l'Europe ont été désignées.

DEBORAH COMPAGNONI
Cette skieuse qui fut une des meilleures slalomeuses des années 1990 a remporté une médaille d'or dans les trois Jeux de la décennie, avec en prime une médaille d'argent aux Jeux de 1998. Elle cherchera à prolonger ses succès en 2002 à Salt Lake City.

COMMENCER TÔT
Les jeunes athlètes qui rêvent de devenir champions olympiques doivent être prêts à affronter des années de sacrifices et de travail acharné, auxquels il faudra ajouter du talent et pas mal de chance.

LES SPORTS D'ÉTÉ

Un coureur de triathlon se prépare pour l'épreuve de cyclisme.

TAEKWONDO	TRIATHLON
TENNIS	VOILE
TENNIS DE TABLE	VOLLEY-BALL
TIR	beach volley
	volley-ball
TIR À L'ARC	

LE TRIATHLON

Ce sera une des nouvelles disciplines à Sydney ; les concurrents doivent disputer trois épreuves l'une à la suite de l'autre. Ils parcourent 1,5 km à la nage, 40 km à vélo et 10 km en courant. Le premier à franchir la ligne d'arrivée remporte la médaille d'or. Toutes les fédérations sportives peuvent demander que leur discipline soit inscrite au programme des Jeux. Il suffit que certaines conditions soient remplies pour que cette demande soit acceptée. Dans les années 1990, les échecs et la danse de salon ont été reconnus.

ATHÈNES, 2004

En 2004, les jeux Olympiques regagneront la ville où ont eu lieu les premiers Jeux de l'ère moderne en 1896. On a souvent fait valoir qu'Athènes devrait être le site permanent des Jeux d'été, puisque la Grèce est le berceau des jeux Olympiques.

L'Acropole, monument de la Grèce antique, domine la ville d'Athènes.

SALT LAKE CITY, 2002

En 2002, le monde entier aura les yeux tournés vers Salt Lake City où se dérouleront les Jeux d'hiver. La ville avait déjà été candidate pour organiser les Jeux de 1998, mais ils avaient été attribués à Nagano au Japon. Salt Lake City s'est donc représentée pour les Jeux suivants et a dépensé des millions de dollars afin de pouvoir organiser les premiers Jeux d'hiver du nouveau millénaire.

LES SPORTS D'ÉTÉ PARALYMPIQUES

Il y aura dix-huit disciplines aux jeux Paralympiques d'été de Sydney en l'an 2000 :

ATHLÉTISME
BASKET-BALL
BOCCIA
CYCLISME
ESCRIME
FOOTBALL
GOAL-BALL
JUDO
NATATION
POWERLIFTING
RUGBY
SPORTS ÉQUESTRES
TENNIS
TENNIS DE TABLE
TIR
TIR À L'ARC
VOILE
VOLLEY-BALL

La Britannique Rose Hill à Atlanta

LES SPORTS D'HIVER

Il y aura neuf disciplines aux Jeux d'hiver de Salt Lake City en 2002 :

BIATHLON	PATINAGE DE VITESSE
BOBSLEIGH	SKI
CURLING	alpin
HOCKEY SUR GLACE	artistique
LUGE	nordique
PATINAGE ARTISTIQUE	SNOWBOARD

LES SPORTS D'HIVER PARALYMPIQUES

L'Autrichienne Danja Haslacher à Nagano

Il y aura quatre disciplines aux jeux Paralympiques d'hiver en 2002 à Salt Lake City :

BIATHLON	SKI
COURSE SUR GLACE EN	alpin
TRAÎNEAU	nordique
HOCKEY SUR GLACE	
EN TRAÎNEAU	

PALMARÈS GÉNÉRAL ET FRANÇAIS
ET LES ÉPREUVES NOUVELLES OU DISPARUES

Cette double page d'annexes vous propose, sous forme de tableaux, le palmarès des vingt premières nations et le palmarès détaillé de la France. Vous trouverez également une liste de sports ou épreuves supprimés au cours de l'histoire des jeux Olympiques ou intégrés lors des derniers Jeux.

PALMARÈS ÉTÉ & HIVER DE 1896 À 1998

Nation	Total des médailles	Or	Argent	Bronze
Etats-Unis	2 151	881	688	582
Allemagne	1 386	456	460	470
Allemagne 1896-1936	224	73	77	74
Allemagne depuis 1991	226	84	65	77
RDA 1956-1988	571	203	192	176
RFA 1952-1988	365	96	126	143
URSS 1952-1992	1 328	526	420	382
Grande-Bretagne	632	177	224	231
France	572	176	182	214
Suède	547	171	176	200
Italie	507	186	157	164
Finlande	426	135	131	160
Hongrie	421	140	126	155
Norvège	352	125	123	104
Japon	307	100	98	109
Australie	296	89	85	122
Canada	282	72	92	118
Suisse	253	71	94	88
Roumanie	240	63	77	100
Pays-Bas	238	66	74	98
Pologne	231	51	68	112

QUELQUES SPORTS OU ÉPREUVES D'ÉTÉ INTÉGRÉS EN 1996

Sport ou épreuve	Vainqueur
Badminton	
double mixte	Kim-Gil (Corée du Sud)
Cyclisme	
contre-la-montre (messieurs)	Indurain (Espagne)
VTT cross-country (messieurs)	Brentjens (Pays-Bas)
contre-la-montre (dames)	Zabirova (Russie)
VTT cross-country (dames)	Pezzo (Italie)
course aux points (dames)	Even-Lancien (France)
Beach volley	
messieurs	Kiraly-Steffes (Etats-Unis)
dames	Silva-Peres (Brésil)
Football (dames)	Etats-Unis
Softball	Etats-Unis

QUELQUES SPORTS OU ÉPREUVES D'HIVER INTÉGRÉS EN 1998

Sport ou épreuve	Vainqueur
Curling	
messieurs	Suisse
dames	Canada
Hockey	
dames	Etats-Unis
Snowboard	
géant (messieurs)	Rebagliati (Canada)
half-pipe (messieurs)	Simmen (Suisse)
géant (dames)	Ruby (France)
half-pipe (dames)	Thost (Allemagne)

LES MÉDAILLES GAGNÉES PAR LA FRANCE AUX JEUX OLYMPIQUES D'HIVER

Année	Ville organisatrice	Or	Argent	Bronze
1924	Chamonix	-	-	3
1928	St-Moritz	1	-	-
1932	Lake Placid	1	-	-
1936	Garmisch	-	-	1
1948	St-Moritz	2	1	2
1952	Oslo	-	-	1
1956	Cortina d'Ampezzo	-	-	-
1960	Squaw Valley	1	-	2
1964	Innsbruck	3	4	-
1968	Grenoble	4	3	2
1972	Sapporo	-	1	2
1976	Innsbruck	-	-	1
1980	Lake Placid	-	-	1
1984	Sarajevo	-	1	2
1988	Calgary	1	-	1
1992	Albertville	3	5	1
1994	Lillehammer	-	1	4
1998	Nagano	2	1	5

LES MÉDAILLES GAGNÉES PAR LA FRANCE AUX JEUX OLYMPIQUES D'ÉTÉ

Année	Ville organisatrice	Or	Argent	Bronze
1896	Athènes	5	4	2
1900	Paris	25	32	29
1904	Saint Louis	-	-	-
1908	Londres	5	5	8
1912	Stockholm	7	4	3
1920	Anvers	9	20	13
1924	Paris	13	14	11
1928	Amsterdam	6	10	5
1932	Los Angeles	10	5	4
1936	Berlin	7	6	6
1948	Londres	9	7	13
1952	Helsinki	6	6	5
1956	Melbourne	4	4	6
1960	Rome	-	2	3
1964	Tokyo	1	8	6
1968	Mexico	7	3	5
1972	Munich	2	4	8
1976	Montréal	2	3	4
1980	Moscou	6	5	3
1984	Los Angeles	5	7	15
1988	Séoul	6	4	6
1992	Barcelone	8	5	16
1996	Atlanta	15	7	15

QUELQUES SPORTS OU ÉPREUVES SUPPRIMÉS

Sport ou épreuve	Année	Vainqueur
Cricket	1900	Grande-Bretagne
Croquet		
1 balle	1900	Aumoitte (France)
2 balles	1900	Waydelick (France)
doubles	1900	France
roque	1900	Jacobus (Etats-Unis)
Equitation		
sauts en longueur	1900	Van Langendonck (Belgique)
sauts en hauteur	1900	Gardère (France)
Golf		
messieurs	1900	Sands (Etats-Unis)
	1904	Lyon (Canada)
dames	1900	Abbott (Etats-Unis)
par équipes	1904	Etats-Unis
Lacrosse	1904	Canada
	1908	Canada
Motonautisme		
open	1908	Thubron (France)
8 m	1908	Thornycroft-Redwood (G-B)
- de 60 pieds	1908	Thornycroft-Redwood (G-B)
Natation		
100 m nage		
libre pour marins	1896	Matokinis (Grèce)
nage sous l'eau	1900	Vendeville (France)
200 m par équipes	1900	Allemagne
plongeon-distance	1904	Dickey (Etats-Unis)
Patinage artistique		
figures spéciales	1908	Panin (URSS)
Paume	1908	Jay Gould (Etats-Unis)
Polo	1900	Grande-Bretagne
	1908	Grande-Bretagne
	1920	Grande-Bretagne
	1924	Argentine
	1936	Argentine
Rackets		
simples	1908	Grande-Bretagne
doubles	1908	Grande-Bretagne
Rugby	1900	France
	1908	Australie
	1920	Etats-Unis, France
	1924	Etats-Unis, France
Skeleton		
messieurs	1928	Heaton (Etats-Unis)
	1948	Bibbia (Italie)
Tir à la corde	1900	Suède
	1904	Etats-Unis
	1908	Grande-Bretagne
	1912	Suède
	1920	Grande-Bretagne

NOTES

Dorling Kindersley tient à remercier les athlètes Robert Earwicker, Rose Hill, Kathy Read, Anthony Sawyer ; Mary Sharman, Paul Fowler et Jane Griffin.

ICONOGRAPHIE

h = haut, b = bas, c = centre, g = gauche, d = droite

Action Plus : Chris Barry 27hd ; Glyn Kirk 27bd, 48bg, 55hd ; Neil Tingle 26bd, 42bg ; Peter Sourrier 34hg ; Tony Henshaw 33bd ; AKG Londres : 14bc ; Erich Lessing 9hd ; John Hios 12bc, 13bc, 14hd, 14cd, 15cd ; Musée du Louvre, Paris 30c ; Olympia Museum 30cd ; Allsport : 17bc, 20cd, 21hg, 32cg, 33hg, 33bg, 34cg, 56cg ; Agence Vandystadt/Bruno Bade 23bd ; Clive Brunskill 27hg, 27bg ; Gary M Prior 17hd ; Gray Mortimore 29hd, 29hg, 29hc, 29cd ; Hulton Getty 19cd ; Collections du musée IOC/Olympic 4g 5bc, 6hg, 15bd, 15hg, 16hd, 16bc, 16bd, 17cdd, 17cd, 17c, 17cg, 17cddd, 17tg, 17bg, 18c, 18hd, 19hg, 19bg, 20hg, 22cg, 25hg, 34cdb, 44c, 44b, 44-45h, 45b, 46bc, 46c, 46bc, 47bd, 47bc, 47hd, 52hd, 52bg, 53bg, 55bd, 55hg ; John Gichigi 37hc ; Michael Cooper 37hd ; Mike Hewitt 22hd ; Mike Powell 22bd, 37cd, 47hc, 58cg ; Nick Wilson 54cd ; Pascal Rondeau 23hc, 26-27c ; Shaun Botterill 26hd, 39hd ; Simon Bruty 23cd, 26bg ; SOCOG 21hd ; Stephen Dunn 54bd ; Stu Forster 59bd ; Todd Warshaw 29bg ; Tony Duffy 21bd, 21cg ; Ancient Art & Architecture Collection : 8c, 11cd, 11bg, 13bd, 13g, 16bg ; Associated Press : 54bg ; British Museum, Londres : 8bg, 9bd, 10d, 10hg, 11hg, 11bd, 16hg, 30-31b, 32hg, 43hd ; Colorsport : 31cdb, 56cdb, 58bg, 59hg ; Corbis UK Ltd : 31cdb ; Deutsches Archäologisches Institut, Berlin : 12c ; Empics Ltd : Aubrey Washington 24bg, 31bd ; E.T. Archive : 12hg, 18cg ; Mary Evans Picture Library : 10cg, 30hd ; Sonia Halliday Photographs : 8hd, 50cd ; Michael Holford : 10bg, 13hd ; Hulton Getty : 50hg, 53cd ; Imperial War Museum : 52c ; Collections du musée IOC/Olympic : 15bg, 25bg, 32bg, 33hd, 35hg, 43hc, 43c, 46-47hc, 50bd, 51hg, 53bd ; The Kobal Collection : Olympia-Film 32hd, 34bc, 35cd ; Popperfoto : 15hd, 20hc, 25c, 32bd, 33bc, 34hd, 35bc, 52cd, 53h ; Dave Joiner 25bc, 25bbc ; Rex Features : Sipa Press 53cg, 54hd ; Roger-Viollet : 12bg, 12bd, 14bd ; Scala : Museo della Terme, Rome 9l ; Science Photo Library : David Ducros 55cd ; Philippe Plailly/Eurelios 36bg ; Seiko Europe Ltd : 50bg, 50cg, 51bg, 51bc, 51cdb, 51hd ; Sporting Pictures (UK) Ltd : 35c ; Tony Stone Images : Chuck Pefley 58bd ; George Grigoriou 59bg ; Topham Picturepoint : 55bg.

Couverture : D.R. pour tous les documents.

Tout a été fait pour retrouver les propriétaires des copyrights. Nous nous excusons par avance des oublis involontaires. Nous serons heureux à l'avenir de pouvoir les réparer.

LES YEUX DE LA DÉCOUVERTE

Les quelque 85 volumes des Yeux de la Découverte forment une véritable encyclopédie.
Vous y trouverez, abondamment illustrés, tous les thèmes qui vous intéressent et en découvrirez
bien d'autres encore. Vous disposerez ainsi d'informations sur plus de 8 000 sujets,
accompagnées de près de 35 000 photos, toutes inédites.
À vous maintenant de constituer votre bibliothèque.

MONDE ANIMAL

SQUELETTES
3-De l'os au squelette
11-Coquilles et carapaces

MAMMIFÈRES
12-Nous, les mammifères
29-Petits et grands félins
32-Les loups et les chiens
36-Le monde des chevaux
41-Sauvons les éléphants
47-Mammifères marins
65-Le royaume des singes

OISEAUX
1-Le nid, l'œuf et l'oiseau
70-La vie des rapaces

INSECTES
20-Le peuple des insectes
8-De la chenille au papillon

POISSONS
17-Vie et mœurs des poissons
39-La peur des requins

REPTILES ET AMPHIBIENS
26-La terre des reptiles
43-La vie des grenouilles

NATURE

FLORE
5-Les secrets de l'arbre
15-Le mystère des plantes

TERRE
4-Roches et minéraux
28-Pierres précieuses

MILIEUX NATURELS
51-La vie des déserts
14-La vie des bords de mer
6-L'étang et la rivière
54-Au cœur des jungles
64-Au fond des océans
59-Pôle Sud, pôle Nord

PHÉNOMÈNES NATURELS
25-Le temps qu'il fera
84-Cyclones et tornades
38-La colère des volcans

PALÉONTOLOGIE
18-L'énigme des fossiles
13-Le temps des dinosaures
50-La vie avant l'Histoire

HISTOIRE

ARCHÉOLOGIE
56-Trésors de l'archéologie
72-Épaves et naufrages

PRÉHISTOIRE
7-Les premiers hommes

CIVILISATIONS ANTIQUES
23-Mémoire de l'Égypte
42-Le roman des momies
55-Pyramides éternelles
30-Terres de la Bible
40-Lumières de la Grèce
24-Rome la conquérante

MOYEN ÂGE
ET RENAISSANCE
44-Le temps des chevaliers
52-Le temps des châteaux forts
49-Les hommes du Nord
(les Vikings)
66-Vivre au Moyen Âge
78-Trésors de la Renaissance

LES YEUX DE LA DÉCOUVERTE

Les titres de cette collection encyclopédique se répartissent entre sept séries principales :
monde animal, nature, histoire, techniques, religions & croyances,
arts, culture & sports et monde d'aujourd'hui.

AFRIQUE
63-Terres et peuples d'Afrique

AMÉRIQUE
46-Les peuples du Soleil
60-Sur la piste des Indiens
18-Cow-boys et gardians

ASIE
53-La Chine des empereurs
74-Histoire de la Russie

MONDE EN GUERRE
2-Armes et armures
62-Les batailles de l'histoire

HISTOIRE NAVALE
31-Le temps des découvertes
58-Corsaires et pirates
82-La tragédie du « Titanic »

RELIGIONS ET CROYANCES

79-Dieux, mythes et héros
69-Les religions du monde
71-Sorcellerie et magie

TECHNIQUES

TECHNOLOGIES
27-Inventeurs et inventions
57-Les maisons des hommes
67-La vie de la ferme
68-Histoires d'espions
70-Crimes et enquêtes
80-Médias et communication
77-Le monde de demain

MOYENS DE TRANSPORT
22-Un moteur et quatre roues
61-L'aventure automobile
37-La légende des trains
21-La conquête du ciel
35-L'aventure sur les mers
73-La conquête de l'espace

ARTS, CULTURE ET SPORTS

10-Des sports et des jeux
83-La passion du football
81-Les jeux Olympiques
76-Le monde de la danse
9-Instruments de musique
34-Les yeux du cinéma
45-L'écriture et le livre
33-Le costume et la mode

MONDE D'AUJOURD'HUI

16-Drapeaux et pavillons
19-Les monnaies du monde

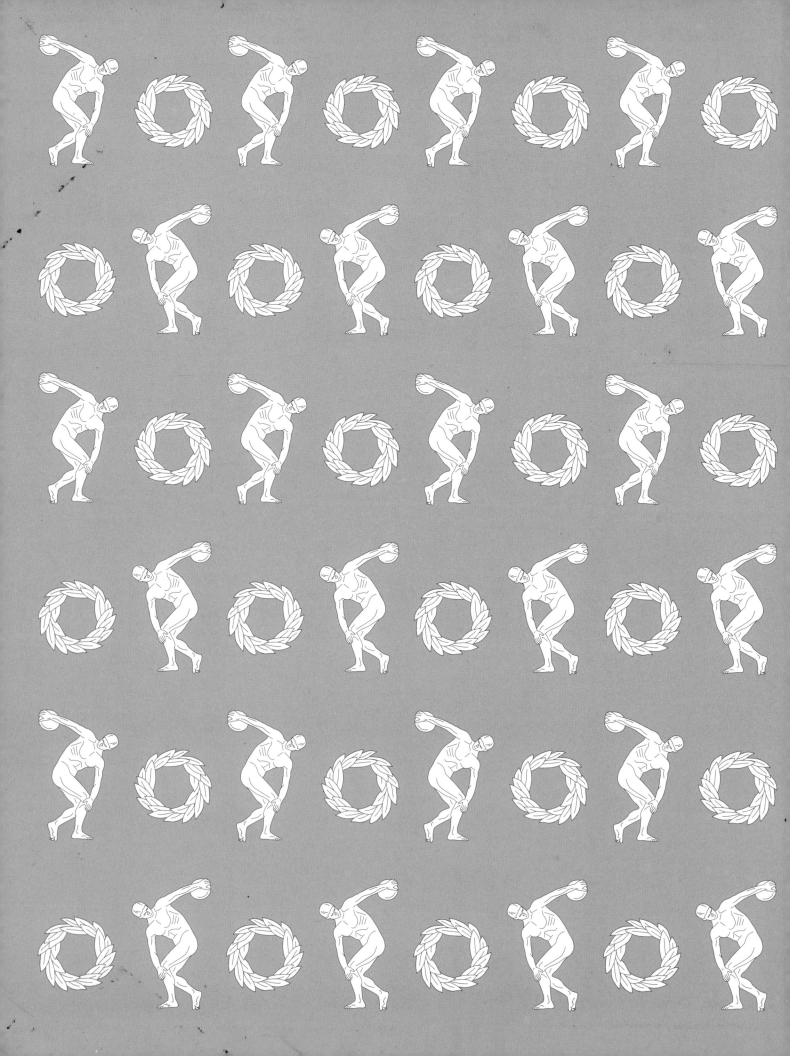